≡ 昌明文庫・悅讀國學 ≡

一口氣讀完
百部中國名著

上冊

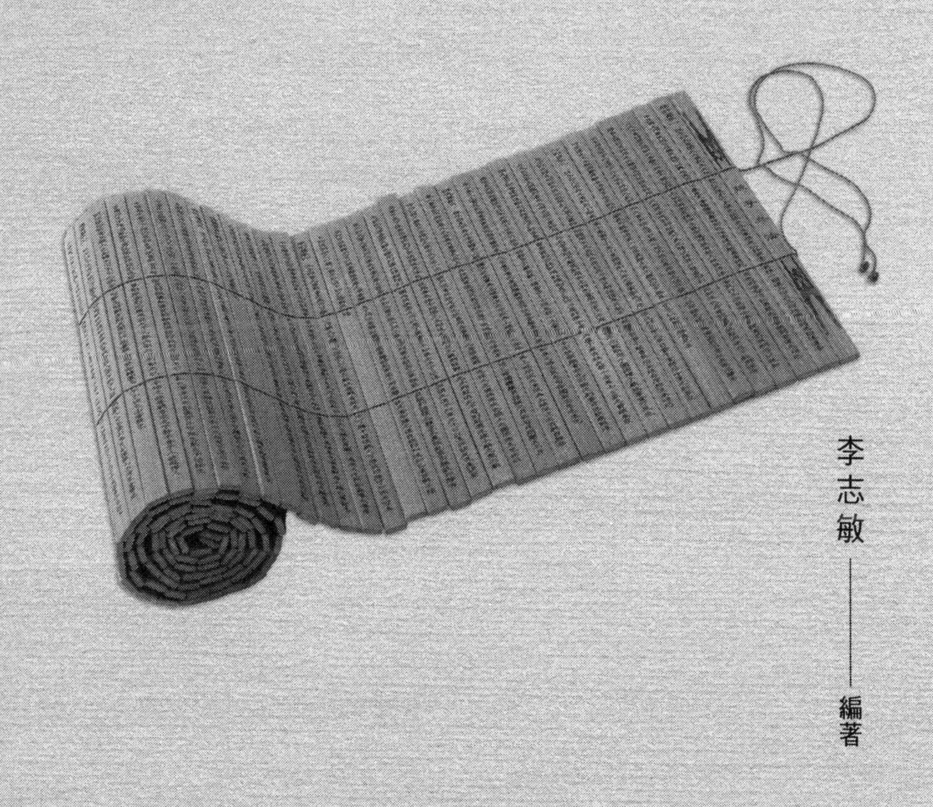

李志敏——編著

前　言

PREFACE

中國文學有著悠久而輝煌的歷史，卷帙浩繁，綿延不斷，文學作品數不勝數。在浩如煙海的文學王國裡，如何快速有效的品味中國文學的風采和魅力，是一件需要選擇的事情。因為在中國文學作品中，也有迂腐和落後的東西，這就需要我們加以鑒別，去其糟粕，取其精華。中國文學名著是優秀文化的代表和傳承，他記錄了人類文明前進的腳步，承載了歷史文化繁衍的精髓，凝聚了中華民族不息的創造精神，具有永久的生命力。

中國文學名著從詩經、楚辭到唐詩、宋詞，從文言小說到白話小說，勾畫了一幅五千年文化的發展史。中國文學名著能讓你的文學素養得到提高，思想情操得到昇華，人生情懷得到開拓。徜徉於博大精深的文學巨著中，你會陶醉於其中最精華的語言中並學著將其運用自如，也會領悟其中深刻的生命哲學並學著審視人生的價值，正如高爾基所說：「書籍是青年人不可分離的生活伴侶和導師」，文學名著則是最有益的生活伴侶和導師。

中國文學名著洋洋灑灑上千部，那麼，我們應該選擇哪些書來讀？應該按照什麼標準選擇閱讀書目？在這個講究效率的時代，我們很少會沉下心來做這個選擇，《和我一起讀名著：一口氣讀完百部中

PREFACE

國文學名著》提供了快速學習和瞭解中國文學名著的理想讀本。本書精選了中國百部文學名著，並設置了「一句話點評」、「一口氣速度」、「一段傑出的篇章」、「一分鐘感悟」、「一個人的歷史（一個難忘的時代）」、「一點賞析的建議」六個欄目，讓讀者更有效的把握文學作品的寫作背景、作品精華等，以最快的速度感受名著的魅力和價值，閱讀本書，伴你度過美好的青春年華；閱讀本書，讓你成為精神上最富有的人；閱讀本書，讓書籍成為你最親密的朋友……。

目 錄

CONTENTS

第三章　萬紫千紅的隋唐五代時期

第四章　承前啟後的宋元時期

第五章　包羅萬象的明清時期

第六章　沉浮跌宕的中國現代時期

第七章　融合激揚的中國當代時期

一

百家爭鳴的春秋戰國時期

《詩經》
春秋時期集體創作

一句話點評

《詩經》確實是一部古代歌謠的總集，可以做社會史的材料，可以做政治史的材料，可以做文化史的材料。

——胡適

一口氣速讀

《詩經》是中國最早的詩歌總集，先秦稱為《詩》，共有詩歌三百零五首（另外還有6篇只有標題沒有內容，稱為笙詩），因此取其整數又稱「詩三百」。 西漢時被尊為儒家經典，始稱《詩經》，並沿用至今。

《詩經》共分風（160篇）、雅（105篇）、頌（40篇）三大部分。「風」的意思就是聲調，就如現在我們說陝西調、山西調、河南調，包括了十五個地方的民歌，如現在的山西、陝西、河南、河北、山東、湖北北部一些地方等，稱為「十五國風」，是《詩經》中的核心內容。「雅」是正的意思，把這種音樂看作「正聲」，意在表明和其它地方音樂的區別，帶有一種尊崇的意味。《小雅》為宴請賓客的音樂，《大雅》則是國君接受臣下朝拜，陳述勸誡的音樂。「頌」是用於宗廟祭的樂歌，但也有讚美治者功德的樂曲，在演奏時要配以舞蹈。

這些詩當初都是配樂而歌的歌詞，保留著古代詩歌、音樂、舞蹈相結合的形式，但在長期的流傳中，樂譜和舞蹈失傳，就只剩下詩歌了。

《詩經》中的詩的作者，絕大部分已經無法考證。除了周王朝樂官製作的樂歌，公卿、列士進獻的樂歌，還有許多原來流傳於民間的歌謠。這些民間歌謠是如何集中到朝廷來的，則有不同說法。

《詩經》的作者的成分很複雜，產生的地域也很廣，其所涉及的地域主要是黃河流域，西起山西和甘肅東部，北到河北省西南，東至山東，南及江漢流域。

孔子對《詩經》有很高的評價。對於《詩經》的思想內容，他說「詩三百，一言以蔽之，思無邪」。對於它的特點，則「溫柔敦厚，詩教也」，即，《詩經》使人讀後有澄清心靈的功效，作為教化的工具實為最佳良策。孔子甚至說「不學詩，無以言」，顯示出《詩經》對中國古代文學的深刻影響。

一段傑出的篇章

蒹葭蒼蒼，白露為霜。所謂伊人，在水一方。

溯洄從之，道阻且長。溯游從之，宛在水中央。

蒹葭萋萋，白露未晞。所謂伊人，在水之湄。

溯洄從之，道阻且躋。溯游從之，宛在水中坻。

蒹葭采采，白露未已。所謂伊人，在水之涘。

溯洄從之，道阻且右。溯游從之，宛在水中沚。

——《國風．秦風．蒹葭》

一分鐘感悟

1. 知我者，謂我心憂；不知我者，謂我何求。悠悠蒼天！此何人哉？
2. 青青子衿，悠悠我心。……一日不見，如三月兮。
3. 手如柔荑，膚如凝脂，臉如蝤蠐，齒如瓠犀。巧笑倩兮，美目盼兮。
4. 投我以木桃，報之以瓊瑤。匪報也，永以為好也。
5. 昔我往矣，楊柳依依。今我來思，雨雪霏霏。
6. 死生契闊，與子成說。執子之手，與子偕老。

一個難忘的年代

春秋時代，周室衰微，諸侯爭霸，各種社會思想、文化相互激蕩，反映周初至春秋中葉社會生活面貌的《詩經》，整體而言，正是這五百年間中國社會生活面貌的形象反映，其中有先祖創業的頌歌，祭祀神鬼的樂章；也有貴族之間的宴飲交往，勞逸不均的怨憤；更有反映勞動、打獵、以及大量戀愛、婚姻、社會習俗等方面的動人篇章。

《詩經》全面地展示了中國西周時期到東周春秋中期的社會生活，真實地反映了中國奴隸社會從興盛到衰敗的歷史面貌。

一點賞析的建議

《詩經》寫作格式規範，讀起來朗朗上口，但其中有不少漢字現在很少使用，閱讀《詩經》時，要先借助好的注本，一字一詞的翻譯，一字一句的理解意思，通曉詩歌的含義。為了抒發感情，《詩經》中往往選取一些具體形象來寄託人的感情，這些具體形象在現在很少見到或用來借喻情感，所以在讀《詩經》時不宜刻意拘泥於詩歌意象的還原，而重在理解詩中所包含的情感。《詩經》中的絕大多數作品都是重章疊句，這種獨具一格的語言色彩也為《詩經》增加了閱讀時的快意。可先讀「風」和「小雅」，再根據自己的興趣讀「大雅」和「頌」。

《左傳》
春秋 左丘明

一句話點評

《左傳》文章優美，其記事文對於極複雜之事項——如五大戰役等，綱領提挈得極嚴謹而分明，情節敘述得極委曲而簡潔，可謂極技術之能事。其記言文淵懿美茂，而生氣勃勃，後此亦殆未有其比。又其文雖時代甚古，然無佶屈聱牙之病，頗易誦習。故專以學文為目的，《左傳》亦應在精讀之列也。

——梁啟超

一口氣速讀

《左傳》原名為《左氏春秋》，漢代改稱《春秋左氏傳》，簡稱《左傳》，是中國第一部詳細完整的編年體歷史著作，為「十三經」之一。因為《左傳》和《公羊傳》、《穀梁傳》都是為解說《春秋》而作，所以它們又被稱作「春秋三傳」。

也有人認為《左傳》是一部獨立的自成體系的歷史著作，主要記錄了周王室的衰微，諸侯爭霸的歷史，從政治、軍事、外交等方面，比較系統地記敘了整個春秋時代各諸侯國所發生的重要事件。同時也較為具體地描繪了一些人物的生活瑣事，對各類禮儀規範、典章制度、社會風俗、民族關係、道德觀念、天文地理、曆法時令、古代文獻、神話傳說、歌謠言語均有記述和評論。《左傳》真實地反映了當時的政治狀況和社會風貌。

《左傳》是研究先秦歷史和春秋時期歷史的重要文獻，對後世的史學產生了很大影響，特別是對確立編年體史書的地位起了很大作用。而且由於它具有強烈的儒家思想傾向，強調等級秩序與宗法倫理，重視長幼尊卑之別，同時也表現出「民本」思想，因此也是研究先秦儒家思想的重要歷史資料。

《左傳》也是一部優秀的文學著作，歷來研究者常把它和《史記》並稱，尊為歷史散文之祖。作者在選材、描寫和評論時，往往帶有自己的褒貶和愛憎。並以其敏銳的觀察力，深刻的認識和高度的文學修養，對許多大小歷史事件，作了深刻而生動的記敘，是儒家重要經典之一。

一段傑出的篇章

十年春，齊師伐我。公將戰，曹劌請見。其鄉人曰：「肉食者謀之，又何間焉？」劌曰：「肉食者鄙，未能遠謀。」乃入見。

問：「何以戰？」公曰：「衣食所安，弗敢專也，必以分人。」對曰：「小惠未遍，民弗從也。」公曰：「犧牲玉帛，弗敢加也，必以信。」對曰：「小信未孚，神弗福也。」公曰：「小大之獄，雖不能察，必以情。」對曰：「忠之屬也，可以一戰。戰則請從。」

公與之乘，戰於長勺。公將鼓之。判曰：「未可。」齊人三鼓，判曰：「可矣。」齊師敗績。公將馳之。劌曰：「未可。」下視其轍，登軾而望之，曰：「可矣。」遂逐齊師。

既克，公問其故。對曰：「夫戰，勇氣也。一鼓作氣，再而衰，三而竭。彼竭我盈，故克之。夫大國，難測也，懼有伏焉。吾視其轍亂，望其旗靡，故逐之。」

——《左傳．曹劌論戰》

一分鐘感悟

1. 人誰無過，過而能改，善莫大焉。
2. 居安思危，思則有備，有備無患，敢以此規。
3. 戰而捷，必得諸侯；若其不捷，表裡山河，必無害也。
4. 竊人之財，猶謂之盜，況貪天之功，以為己力乎。
5. 多行不義必自斃，子姑待之。
6. 君處北海，寡人處南海，唯是風馬牛不相及也。

一個難忘的年代

《左傳》記事年代與《春秋》大體相當，與《春秋》的大綱形式不同，其內容記述了這一時期列國的政治、軍事、外交等方面的重大事件和有關言論，以及天道、鬼神、占卜、占夢之事等；作者對凡是可以借鑒和勸誡的都進行記載。

西漢史學家司馬遷、班固等人都認為《左傳》是左丘明所作。

左丘明，一說姓左，名丘明；一說複姓左丘，名明。春秋末期魯國人，雙目失明，曾任魯太史。左丘明知識淵博，品德高尚，司馬遷稱其為「魯之君子」。

左丘明的家族世代為史官，曾與孔子一起「乘如周，觀書於周史」，擁有魯國以及其它封侯各國大量的史料，所以依《春秋》著成了中國古代第一部記事詳細、議論精闢的編年史《左傳》，和現存最早的一部國別史《國語》，成為史家的開山鼻祖。

一點賞析的建議

《左傳》不僅是中國最早最完備的編年史歷史著作，也是一部非常優秀的文學著作，成為歷代散文的典範。它表現在長於記述戰爭，故有人稱之為「相砍書」。《左傳》把歷史事件的敘述文學化，注重故事情節的描述，人物刻畫神形畢現，栩栩如生，富有有立體感，條理清楚，敘述精確，詳略合宜，委曲簡潔；描寫戰爭等事件時注重生動形象的場面描寫和傳神的細節描寫，精練有致；擅長記述行人辭令，理富文美，常常是寥寥幾句，就能使讀者如見其人，如聞其聲。

讀《左傳》時，建議可先讀一些名篇，如〈曹劌論戰〉、〈鄭伯克段於鄢〉、〈晉楚城濮之戰〉、〈燭之武退秦師〉等，再讀其它篇章，體會為什麼許多古文學家把《左傳》作為寫文章的典範。

《論語》
春秋 孔子及其弟子

一句話點評

半部《論語》治天下。

——趙普

一口氣速讀

《論語》是一本以記錄春秋時思想家、教育家孔子和他的弟子及再傳弟子言行為主的彙編，成書於戰國初期，是儒家重要的經典之一。內容涉及政治、教育、文學、哲學以及立身處世的道理等諸多方面，是研究孔子及儒家思想尤其是原始儒家思想的主要資料。

現存《論語》共二十篇，四百九十二章。每篇篇名取自正文開頭，或「子曰」、「子謂」後首句的前二、三字。

《論語》是記錄孔子和他的弟子言行的書，書中的充分表露了孔子的政治思想、道德倫理和自我修養等多方面的言論。

在道德方面，孔子認為德行高於才華，「驥不稱其力，稱其德也」，即使是一匹千里馬，恃才傲物，特價而沽，使驕且吝，其人也不足觀；德才兼備，以德統才才會受到別人的尊敬、愛戴。

在修身方面，孔子重視自我反省，要「見賢思齊焉，見不賢而內自省也」。君子「日三省吾身，為人謀而不忠乎？與朋友交而不信乎？傳不習乎？」

在交友方面，擇友是重要環節，孔子說「道不同，不相為謀」，他交友的標準是「益者三友，損者三友」。「友直、友諒、友多聞，益矣；友便僻、友善柔、友便佞，損矣」。

在孝悌方面，孔子又有精闢的見解。「身體膚髮，受之父母，孝之始也」，「父母惟其疾之憂」，所以我們應該小心謹慎地對待自己的身體，不要在關愛子女的父母心頭繫上一個沉重的負擔；對於「父母之年，不可不知也。一則以喜，一則以懼」，「父母在，不遠遊，遊必有方」。

在處世方面，子曰「人之生也直」，應做一個正直的人，做一個光明磊落的君子，憑浩然正氣立足於社會。儒家思想對君子的要求是，「君子泰而不驕」，「君子成人之美，不成人之惡」，「君子矜而不爭，群而學黨」……。

在學習方面，子曰「溫故而知新，可以為師矣」，這就像狄慈根所說的「重複是學習之母」一樣。「學而不思則罔，思而不學則殆」，又告訴我們不要死學，不可空想。「學如不及，猶恐失之」，因為求學如逆水行舟，不進則退……。

在教育方法上，孔子的「因材施教」、「學以致用」等也為後人所推崇。

一段傑出的篇章

子曰：「學而時習之，不亦說乎？有朋自遠方來，不亦樂乎？人不知而不慍，不亦君子乎？」

子曰：「其為人也孝悌，而好犯上者，鮮矣；不好犯上，而好作亂者，未之有也。君子務本，本立而道生。孝悌也者，其為仁之本與！」

子曰：「巧言令色，鮮矣仁！」

曾子曰：「吾日三省吾身。為人謀而不忠乎？於朋友交而不信乎？傳不習乎？」

——《論語．學而》

一分鐘感悟

1. 弟子入則孝，出則弟，謹而信，泛愛眾，而親仁。行有餘力，則以學文。
2. 吾十有五而志於學，三十而立，四十而不惑，五十而知天命，六十而耳順，七十而從心所欲，不逾矩。
3. 智者樂水，仁者樂山；智者動，仁者靜；智者樂，仁者壽。
4. 默而識之，學而不厭，誨人不倦，何有於我哉。
5. 三人行，必有我師焉。擇其善者而從之，其不善者而改之。
6. 君子欲納於言而敏於行。

一個人的歷史

孔子（西元前551年-西元前479年），名丘，字仲尼，春秋後期魯國陬邑人，儒學創始人，是中國歷史上偉大的政治家、思想家、教育家，居聯合國教科文組織評出的「世界十大文化名人」之首。他的學說以「仁」貫穿首尾，提倡以仁禮學說治天下。孔子對後世影響深遠，雖說他「述而不作」，但他在世時已被譽為「天縱之聖」、「天之木鐸」 後世並尊稱他為「至聖」、「萬世師表」。

一點賞析的建議

《論語》是一部語錄體著作，多用口語記載，《論語》中所記錄的孔子循循善誘的教誨之言，或簡單應答，點到即止；或啟發論辯，侃侃而談；富於變化，娓娓動人。

在記言記事時，生動形象，富有文學情趣。雖然只是片言隻語，但其語言講述樸素生動，平易雅正，言簡意賅，富有哲理和感情色彩。通過語言敘述，刻畫出了許多有血有肉的人物性格。

《論語》屬於語錄體，在當時應是像我們日常對話一樣，很容易懂的，但對今人來說，則要借助注本。在讀的時候，仔細感受孔子師徒對答、心心相印的場景，瞭解儒家思想的原汁原味。

《孟子》
戰國 孟子

一句話點評

為士大夫者，非堯舜之道不陳前，非孔孟之道不著述。

——張漢超

一口氣速讀

《孟子》一書是戰國時期孟子的言論彙編，記錄了孟子與其它諸家思想的爭辯、對弟子的言傳身教、遊說諸侯等內容，由孟子及其再傳弟子共同編撰而成。

《孟子》主要分為政治哲學，即仁政，以及人生哲學，即性善。

孟子主張君主行仁政，承接性善論，孟子認為「人有不忍人之心」，乃有「不忍人之政」，君主只要將自己的仁德推廣，所謂「幼吾幼以及人之幼，老吾老以及人之老」，由愛護自己的家人，到愛護國民，就是仁政。推行仁政的具體措施是實行「王道」，要使人民富足，百姓安樂，即「保民而王」，人民自然擁戴君主，國家自然富強安定。

《孟子》中的民本思想，即「民為貴，社稷次之，君為輕。」意思是說，人民放在第一位，國家其次，君在最後。這裡並不是在說百姓的地位比國君的地位高，而是說國君在治國時，如果不照顧到老百姓的利益，就很難維持自己的統治。值得注意的是民本思想和現代民主並不相同。

《孟子》的人生哲學主要思想是性善論。在中國人性論史上，孟子是第一個提出性善論的。他認為，人生來都有最基本的共同的天賦本性，這就是「性善」或「不忍人之心」。「不忍人之心」也叫「惻隱之心」。此外還有「羞惡之心」、「辭讓之心」、「是非之心」，這四種心也叫「四端」或「四德」，是孟子論述人性本善的根據。

孟子認為，人與禽獸的差別很微小，僅僅在於人有這些「心」。如果沒有這些「心」，就不能算作是人。在他看來，如果為人而不善，那不是本性的問題，而是由於捨棄了本性，沒有很好地保持住它，絕不能說他本來就沒有這些「善」的本性。因此，人如果有了不善的思想和行為，就應閉門思過，檢查自己是否放棄了那些天賦的「心」，努力把這些「心」找回來，以恢復人的本性。這就是孟子所說的「求其放心」，後世稱為「復性」。如果反省自己，一切都合乎天賦的道德觀念，那就是最大的快樂，這就是孟子所說的「反身而誠，樂莫大焉」。

孟子的性善論對傳統思想影響很大，宋代以後流傳的《三字經》第一句話就是「人之初，性本善。」性善論也成為後來儒家的正統觀念。

一段傑出的篇章

孟子曰：「舜發於畎畝之中，傅說舉於版築之間，膠鬲舉於魚鹽之中，管夷吾舉於士，孫叔敖舉於海，百里奚舉於市。故天將降大任於斯人也，必先苦其心志，勞其筋骨，餓其體膚，空乏其身，行拂亂其所為，所以動心忍性，曾益其所不能。人恒過，然後能改；困於心，衡於慮，而後作；徵於色，發於聲，而後喻。入則無法家拂士，出則無敵國外患者，國恒亡。然後知生於憂患，而死於安樂也。」

——《孟子．告子下》

一分鐘感悟

1. 魚，我所欲也，熊掌亦我所欲也；二者不可得兼，舍魚而取熊掌者也。生亦我所欲也，義亦我所欲也；二者不可得兼，舍生而取義者也。
2. 權，然後知輕重；度，然後知長短。
3. 人有不為也，而後可以有為。
4. 老吾老，以及人之老；幼吾幼，以及人之幼。
5. 不以規矩，不成方圓。
6. 窮則獨善其身，達則兼善天下。

一個人的歷史

孟子（西元前372年-西元前289年），名軻，字子輿。戰國時期鄒國人，魯國慶父後裔。中國古代著名思想家、教育家、政治家，是儒家思想的代表人物。孟子繼承並發揚了孔子的思想，成為僅次於孔子的一代儒家宗師，有「亞聖」之稱，與孔子合稱為「孔孟」。

孟子幼年喪父，家庭貧困，孟母艱辛地將他撫養成人，其「孟母三遷」、「孟母斷織」、「不敢去婦」等故事，成為千古美談。孟子曾就學於子思（孔子的孫子）的門人。學成以後，遊歷諸國，企圖推行自己的政治主張，前後歷時二十多年，但不被當時各國所接受，便回到家鄉聚徒講學，與學生著書立說。

一點賞析的建議

與《論語》一樣，《孟子》也是以記言為主的語錄體散文，但它比《論語》又有明顯的發展。《論語》的文字簡約、含蓄，《孟子》卻有許多長篇大論，氣勢磅　，議論尖銳、說理暢達，機智而雄辯。如果說《論語》給人的感覺是諄諄告誡，那麼《孟子》給人的感覺就是侃侃而談。

讀《孟子》要把握孟子的主體思想，即「仁政」，明其意，通其理，把握其行文論述時的嚴密邏輯方式，許多流傳至今的名言警句意蘊深遠，反覆吟誦，從中得到啟示，幫助我們對社會、對人生有更深刻的認識。

《莊子》
戰國 莊子及其後學

一句話點評

莊子著書十餘萬言，大抵寓言，人物土地，皆空言無事實，而其文則汪洋捭闔，儀態萬方，晚周諸子之作，莫能先也。

——魯迅

一口氣速讀

《莊子》一書，漢代著錄為五十二篇，現存三十三篇。其中〈內篇〉七篇，一般認為是莊子所著；〈外篇〉十五篇，一般認為是莊子的弟子所著，或是莊子與其弟子合著；〈雜篇〉十一篇，編寫情形較為複雜，應當是莊周門人及後來道家的作品。

莊子的思想是以老子為依歸。但《老子》的中心，是闡述自然無為的政治哲學，《莊子》的中心，則是探求個人在沉重黑暗的社會中，如何實現自我解脫和自我保全的方法。

《莊子》「無為」的思想貫徹於整個人生哲學中。認為人生在世「身若槁木」，「心若死灰」。所以無所謂喜、怒、哀、樂。要求人們要像嬰兒那樣無知，忘掉自身，丟掉各種欲望，茫茫然彷徨於塵世之外，逍遙在無所事事之中。

《莊子》在談道德時，用不少篇幅講到人與天的關係。書中提出了「天人合一」的思想。在〈大宗師〉中說：「天與人不相勝也」。意思是說天則人，人則天，兩者相同相合，相差不大。因為天人合一，進而認為，真人之所以與眾不同，置生死於度外，因為他懂得這些全是天的遠行，是自然而然的，所以人只能安而順之，而不可能更改。

基於上述觀點《莊子》提出了自己對人性的看法，「同乎無知，其德不高；同乎無欲，是為素樸；素樸而民性得矣」。莊子所說的「素樸」就是對人性的回答。其內容就是無知無欲的自然狀態。同這種無知無欲的自然狀態相對立的便是社會的法度、禮義、規範，這種對立的東西就是自然本性的桎梏，如同羈絆對烈馬的束縛一樣。於是他主張要消除對回歸自然本性的干擾，復歸到純真無為的自然中來。

在莊子看來，最理想的社會是上古的混沌狀態，一切人為的制度和文化措施都違逆人的天性，因而是毫無價值的。對於個人人生，《莊子》強調「全性保真」，捨棄任何世俗的知識和名譽地位，以追求與宇宙的抽象本質——「道」化為一體，從而達到絕對的和完美的精神自由。

《莊子》對現實有深刻的認識和尖銳的批判。不同於其它人只是從統治者的殘暴來看問題，作者還更為透徹地指出，一切社會的禮法制度、道德準則，本質上只是維護統治的工具。《胠篋》說，常人為防盜，總把箱子鎖得很牢，但是遇上大盜，連箱子一起偷了。所以，「竊鉤者誅，竊國者侯。諸侯之門，而仁義焉存。」

一段傑出的篇章

北冥有魚，其名為鯤。鯤之大，不知其幾千里也。化而為鳥，其名為鵬。鵬之背，不知其幾千里也。怒而飛，其翼若垂天之雲。是鳥也，海運則將徙於南冥。南冥者，天池也。《齊諧》者，志怪者也。《諧》之言曰：「鵬之徙於南冥也，水擊三千里，傳扶搖而上者九萬里，去以六月息者也。」野馬也，塵埃也，生物之以息相吹也。天之蒼蒼，其正色邪？其遠而無所至極邪？其視下也，亦若是則已矣。

——《莊子・內篇・逍遙遊第一》

一分鐘感悟

1. 人生天地之間，若白駒之過隙，忽然而已。
2. 子非我，安知我不知魚之樂？
3. 夫哀莫大於心死，而人死亦次之。
4. 泉涸，魚相與處於陸，相呴以濕，相濡以沫，不如相忘於江湖。
5. 吾生也有涯，而知也無涯。以在涯隨無涯，殆已；已而為知者，殆而已矣。
6. 方生方死，方死方生。方可方不可，方不可方可；因是因非，因非因是。是以聖人不由而照之於天。

一個人的歷史

莊周，戰國時代宋國蒙（今河南商丘縣東北）人。生活年代與孟子相仿，可能年歲略小。只做過地位卑微的漆園吏。著名思想家、哲學家、文學家，是道家學派的代表人物，老子思想的繼承和發展者。

後世將他與老子並稱為「老莊」也。他也被稱為蒙吏、蒙莊和蒙叟。據傳，曾隱居於南華山，唐玄宗天寶年初，詔封莊子為南華真人，稱其著書《莊子》為《南華經》。

根據《莊子》中的記載，莊子生活貧困，居住在窮閭陋巷，困窘時織履為生，有時甚至無米下鍋，要向人借糧。據說楚王派人迎他到楚國去做國相，卻被他拒絕了。莊子認為做官戕害人的自然本性，不如在貧賤生活中自得其樂。

一點賞析的建議

《莊子》的文章結構，看起來並不嚴密，常常突兀而來，行所欲行，止所欲止，逍遙自由，變化無端，有時似乎不相關，任意跳蕩起落，但思想卻能一線貫穿。句式也富於變化，或順或倒，或長或短，更加之辭彙豐富，描寫細緻，又常常不規則地押韻、顯得極有表現力，極有獨創性。

歷代文人大都喜歡《莊子》。在先秦諸子散文中，它最富於文采和想像力，可謂儀態萬千，揮灑自如。它特有的美學意蘊和深刻的辯證法思想，在閱讀時注意體會。

《楚辭》
戰國 屈原等

一句話點評

王孝伯言，名士不必須奇才，但使常得無事，痛飲酒、熟讀〈離騷〉便可稱名士。

——劉義慶

一口氣速讀

《楚辭》是戰國時期楚國的詩歌總集，原來收入了楚國人屈原、宋玉以及漢代淮南小山、東方朔、王褒、劉向等人的辭賦共十六篇，後來王逸增加了自己的《九思》，達到十七篇。《楚辭》中以屈原的作品為主，其中〈離騷〉、〈九歌〉、〈天問〉等篇保存了較多的歷史資料和神話傳說，學術參考價值很高，是僅次於《詩經》的中國歷史上第二部詩歌作品集，與《詩經》一樣成為之後兩千多年內中國古代詩歌發展的源頭。

《楚辭》的代表人物屈原，在《楚辭》初本的十六卷中，屈原的作品占絕大部分，共收他的詩作八卷二十餘篇。屈原的作品大致可分兩類：一類是〈離騷〉、〈九章〉等在流放生活中寫的政治抒懷詩；一類是以《九歌》為代表的祭歌；另一類則是反映詩人世界觀、人生觀的〈天問〉。

〈離騷〉是屈原的代表作，這篇宏大的政治抒情詩表現了他的進步理想，為實現理想而進行的不懈鬥爭，以及鬥爭中所遇到的挫折和自己的壓抑苦悶的心情。屈原常以歷史抒發內心的情懷，而且從中尋找經驗教訓。

〈九歌〉原來是古代的樂歌，相傳是夏啟從天上偷來的。屈原在民間祀神樂歌基礎上創作了〈九歌〉，沿用了古代樂歌的名稱，總共十一篇，保存了關於雲神、山神、湘水神、河神、太陽神的神話傳說，是現在研究上古民俗和楚文化的寶貴史料。

〈天問〉則是首長詩，對自然宇宙和社會歷史提出了多達一百七十多個問題，其中也保存了許多神話傳說和古史資料。

一段傑出的篇章

長太息以掩涕兮，哀民生之多艱。
余雖好修姱以鞿羈兮，謇朝誶而夕替。
既替余以蕙纕兮，又申之以攬　。
亦餘心之所善兮，雖九死其猶未悔。
怨靈修之浩蕩兮，終不察夫民心。
眾女嫉余之蛾眉兮，謠諑謂余以善淫。
固時俗之工巧兮，偭規矩而改錯。
背繩墨以追曲兮，競周容以為度。
忳鬱邑余侘傺兮，吾獨窮困乎此時也。
寧溘死以流亡兮，余不忍為此態也。
鷙鳥之不群兮，自前世而固然。

何方圜之能周兮，夫孰異道而相安？

屈心而抑志兮，忍尤而攘詬。

伏清白以死直兮，固前聖之所厚。

悔相道之不察兮，延佇乎吾將反。

回朕車以復路兮，及行迷之未遠。

步余馬於蘭皋兮，馳椒丘且焉止息。

進不入以離尤兮，退將復修吾初服。

製芰荷以為衣兮，集芙蓉以為裳。

不吾知其亦已兮，苟余情其信芳。

高余冠之岌岌兮，長余佩之陸離。

芳與澤其雜糅兮，唯昭質其猶未虧。

忽反顧以遊目兮，將往觀乎四荒。

佩繽紛其繁飾兮，芳菲菲其彌章。

民生各有所樂兮，余獨好修以為常。

雖體解吾猶未變兮，豈餘心之可懲。

——《楚辭 · 離騷》

一分鐘感悟

1. 路漫漫其修遠兮，吾將上下而求索。
2. 惟草木之零落兮，恐美人之遲暮。
3. 冉冉其將至兮，恐修名之不立。
4. 鳥飛反故鄉兮，狐死必首丘。
5. 與天地兮同壽，與日月兮齊光。
6. 滄浪之水清兮，可以濯我纓；滄浪之水濁兮，可以濯我足。

一個難忘的年代

《楚辭》的代表作家有屈原、宋玉等人，其它如唐勒和景差的作品大多未能流傳下來。西漢末，劉向輯錄屈原、宋玉的作品，及漢代人模仿這種詩體的作品，書名即題作《楚辭》。這是《詩經》以後，中國古代又一部具有深遠影響的詩歌總集。

屈原，名平，字原，丹陽（今湖北秭歸）人。戰國末期楚國人，傑出的政治家和愛國詩人。他出身於楚國貴族，與楚懷王同祖。屈原學識淵博，對天文、地理、禮樂制度以及周以前各代的治亂興衰等都很熟悉，善外交辭令。在政治上他推崇「美政」，因受小人的陷害，他兩次被流放，最後投汨羅江而死，以示忠貞愛國情懷。

一點賞析的建議

《楚辭》是中國古代南方詩歌的典型。《楚辭》中的屈原詩歌是重點，〈離騷〉是屈原詩歌的重點。反覆吟誦〈離騷〉，疏通詩句，抓住關鍵字語，體會《楚辭》的藝術風格和屈原追求真理、忠貞愛國的精神。

二

金戈鐵馬的兩漢魏晉南北朝時期

《戰國策》
西漢 劉向

一句話點評

其文章之奇足以娛人耳目，而其機變之巧足以壞人之心術。

——陸隴其

一口氣速讀

《戰國策》是中國古代的一部歷史學名著。它是一部國別體史書，又稱《國策》。主要記載戰國時期謀臣策士縱橫捭闔的鬥爭。全書按東周、西周、秦國、齊國、楚國、趙國、魏國、韓國、燕國、宋國、衛國、中山國依次分國編寫，分為十二策，三十三卷，共四百九十七篇。所記載的歷史，上起西元前四九〇年智伯滅范氏，下至西元前二二一年高漸離以筑擊秦始皇，約十二萬字。是先秦歷史散文成就最高，影響最大的著作之一。

《戰國策》是中國古代記載戰國時期政治鬥爭的一部最完整的著作。它實際上是當時縱橫家遊說之辭的彙編，它詳細地記錄了當時縱橫家的言論和事蹟，展示了這些人的精神風貌和思想才幹。而當時的風雲變幻，合縱連橫，戰爭綿延，政權更迭，都與謀士獻策、智士論辯有關，因而具有重要的史料價值。

《戰國策》一書反映了戰國時代的社會風貌，當時士人的精神風采，不僅是一部歷史著作，也是一部非常好的歷史散文。它作為一部反映戰國歷史的歷史資料，比較客觀地記錄了當時的一些重大歷史事件和一些義勇志士的人生風采，是戰國歷史的生動寫照。

《戰國策》的文學成就也非常突出，在中國文學史上，它標誌著中國古代散文發展的一個新時期，文學性非常突出。該書文辭優美，語言生動，描寫人物繪聲繪色，尤其在人物形象刻畫方面，把人物富於雄辯與運籌的機智表現的淋漓盡致。

寓言故事也是《戰國策》非常鮮明的藝術特色，書中常用寓言闡述道理，著名的寓言就有「畫蛇添足」、「亡羊補牢」、「狡兔三窟」、「狐假虎威」、「南轅北轍」等。

一段傑出的篇章

荊軻知太子不忍，乃遂私見樊於期，曰：「秦之遇將軍，可謂深矣。父母宗族，皆為戮沒。今聞購將軍之首，金千斤，邑萬家，將奈何？」樊將軍仰天太息流涕曰：「吾每念，常痛於骨髓，顧計不知所出耳！」軻曰：「今有一言，可以解燕國之患，而報將軍之仇者，何如？」樊於期乃前曰：「為之奈何？」荊軻曰：「願得將軍之首以獻秦，秦王必喜而善見臣。臣左手把其袖，而右手揕其胸，然則將軍之仇報，而燕國見陵之恥除矣。將軍豈有意乎？」樊於期偏袒扼腕而進曰：「此臣日夜切齒拊心也，乃今得聞教！」遂自刎。

太子聞之，馳往，伏屍而哭，極哀。既已，無可奈何，乃遂收盛樊於期之首，函封之。

於是太子預求天下之利匕首，得趙人徐夫人之匕首，取之百金，使工以藥淬之。乃為裝遣荊軻。

燕國有勇士秦武陽，年十二殺人，人不敢與忤視。乃令秦武陽為副。

荊軻有所待，欲與俱，其人居遠未來，而為留待。

頃之未發，太子遲之。疑其有改悔，乃復請之曰：「日以盡矣，荊卿豈無意哉？丹請先遣秦武陽！」荊軻怒，叱太子曰：「今日往而不反者，豎子也！今提一匕首入不測之強秦，僕所以留者，待吾客與俱。今太子遲之，請辭決矣！」遂發。

太子及賓客知其事者，皆白衣冠以送之。

至易水上，既祖，取道。高漸離擊筑，荊軻和而歌，為變徵之聲，士皆垂淚涕泣。又前而為歌曰：「風蕭蕭兮易水寒，壯士一去兮不復還！」復為慷慨羽聲，士皆瞋目，發盡上指冠。

於是荊軻遂就車而去，終已不顧。

——《戰國策・燕策》

一分鐘感悟

1. 以財交者，財盡而交絕；以色交者，華落而愛渝。
2. 人之有德於我也，不可忘也；吾有德於人也，不可不忘也。
3. 士為知己者死，女為悅己者容。
4. 見兔而顧犬，未為晚也；亡羊而補牢，未為遲也。
5. 前事不忘，後事之師。
6. 善作者，不必善成；善始者，不必善終。

一個難忘的年代

《戰國策》是彙編而成的歷史之作，作者不明。其中所包含的資料，主要出於戰國時代，包括策士的著作和史臣的記載，彙集成書，當在秦統一以後。

西漢末年，劉向校錄群書時在皇家藏書中發現了六種記錄縱橫家的寫本，但是內容混亂，文字殘缺。於是劉向按照國別編訂了《戰國策》。記事年代大致上接春秋，下迄秦統一。全書沒有系統完整的體例，都是相互獨立的單篇。

劉向（約西元前77年-西元前6年）原名劉更生，字子政。西漢末年經學家、目錄學家、文學家。沛縣（今江蘇徐州）人。《戰國策》的校訂者和編訂者。劉向的散文主要是秦疏和校讎古書的「敘錄」，敘事簡約，理論暢達、舒緩平易是其主要特色。

一點賞析的建議

《戰國策》既體現了時代思想觀念的變化，也體現出戰國遊士、俠士這一類處於統治集團與庶民之間的特殊而較為自由的社會人物的思想特徵，不完全是為了維護統治秩序說話。由於《戰國策》突破了舊的思想觀念的束縛，又不完全拘泥於歷史的真實，所以就顯得比以前的歷史著作更加活潑而富有生氣。

建議採用先讀名篇，再讀其它篇的讀法。在讀《馮瑗客孟嘗君》、《唐雎為安陵君劫秦王》、《蘇秦始將連橫說秦惠王》等篇時，體會戰國縱橫家辭令所呈現的那種雄辯恣肆、縱橫馳騁的現場效果。

《史記》
西漢 司馬遷

一句話點評

史家之絕唱，無韻之〈離騷〉。

——魯迅

一口氣速讀

《史記》是由司馬遷撰寫的中國第一部紀傳體通史，作為通史，它不同於以前的史書，如《春秋》、《戰國策》等只記載某一時期，而是記載了上自上古傳說中的黃帝時代，下至漢武帝元狩元年間，共三千多年的歷史。

《史記》最初沒有固定書名，或稱「太史公書」、「太史公傳」、「太史公」。「史記」本是古代史書通稱，從三國時期開始，「史記」由史書的通稱逐漸成為「太史公書」的專稱。

《史記》一共一百三十篇，五十二萬餘字，作者司馬遷以其「究天人之際，通古今之變，成一家之言」的史識，詳實地記錄了上古時期至漢武帝時的政治、經濟、軍事、文化等各個方面的發展狀況。

《史記》的體例共分成本紀、表、書、世家和列傳五個主題，加上最後的太史公自序。其中，本紀是「天下」統治者的事情，除〈秦本紀〉外，敘述歷代最高統治者帝王的政績；「表」是各個歷史時期的簡單大事記，是全書敘事的聯絡和補充；「書」是個別事件的始末文獻，它們分別敘述天文、曆法、水利、經濟、文化、藝術等方面的發展和現狀；「世家」主要敘述貴族侯王的歷史；「列傳「主要是各種不同類型、不同階層人物的傳記，少數列傳則是敘述國外和國內少數民族君長統治的歷史。

《史記》對後世史學和文學的發展都產生了深遠影響。其首創的紀傳體編史方法為後來歷代「正史」所傳承，被稱為「二十四史」之首。作為紀傳體，它又不同於以前史書所採用過的以年代先後為次序的編年體，或以地域為編限的國別體，而是以人物傳記為中心來反映歷史內容。這在史學體例上是影響極為深遠的創舉。從此以後，從班固的《漢書》到民國初期《清史稿》，近兩千年間歷代所修正史，儘管在個別名目上有某些增改，但最重要的紀、傳都絕無例外地沿襲《史記》體例，而成為傳統。

《史記》還被認為是一部優秀的文學著作，在中國文學史上有重要地位，被魯迅譽為「史家之絕唱，無韻之離騷」，有很高的文學價值。

一段傑出的篇章

高祖常繇咸陽，縱觀，觀秦皇帝，喟然太息曰：「嗟乎，大丈夫當如此也！」

召諸縣父老豪桀曰：「父老苦秦苛法久矣，誹謗者族，偶語者棄市。吾與諸侯約，先入關者王之，吾當王關中。與父老約，法三章耳：殺人者死，傷人及盜抵罪。余悉除去秦法。諸吏人皆案堵如故。凡吾所以來，為父老除害，非有所侵暴，無恐！且吾所以還軍霸上，待諸侯至而定約束耳。」

高祖曰：「公知其一，未知其二。夫運籌策帷帳之中，決勝於千里之外，吾不如子房。鎮國家，撫百姓，給饋餉，不絕糧道，吾不如蕭何。連百萬之軍，戰必勝，攻必取，吾不如韓信。此三者，皆人傑也，吾能用之，此吾所以取天下也。項羽有一范增而不能用，此其所以為我擒也。」

酒酣，高祖擊筑，自為歌詩曰：「大風起兮雲飛揚，威加海內兮歸故鄉，安得猛士兮守四方！」令兒皆和習之。高祖乃起舞，慷慨傷懷，泣數行下。

——《史記·高祖本紀》

一分鐘感悟

1. 嗟乎！燕雀安知鴻鵠之志哉！
2. 智者千慮，必有一失；愚者千慮，必有一得。
3. 功者難成而易敗，時者難得而易失。
4. 富貴者送人以財，仁人者送人以言。
5. 忠言逆耳利於行，良藥苦口利於病。
6. 人固有一死，或重於泰山，或輕於鴻毛。

一個人的歷史

作者司馬遷（西元前145年-西元前90年），字子長，夏陽（今陝西韓城南芝川鎮）人。西漢史學家、思想家、文學家。

其父司馬談是西漢著名學者，通百家。大約二十歲時，司馬遷開始漫遊名山大川，不久被擢為郎中，並常隨漢武帝尋幸各地。其父亡後，繼任太史，為完成父親的遺志，廣泛搜集資料，於西元前一〇四年正式開始撰修《史記》。

西元前九十九年，司馬遷受李陵案牽連下獄，遭受宮刑，精神上受到強烈打擊，他忍受著巨大的痛苦，將全部心血投入《史記》的著述中。到西元前九十一年，司馬遷終以非凡的毅力完成了這部偉大著作。

一點賞析的建議

《史記》結構宏大，內容豐富，不妨先讀〈項羽本記〉、〈陳涉世家〉和〈廉頗藺相如列傳〉等篇，再讀其它篇。司馬遷的一腔抑鬱之氣以及他對宇宙、人生的思考後所表現出來的獨特的歷史觀念和道德倫理觀念，是我們應著重注意的。

《陶淵明集》
東晉 陶淵明

一句話點評

陶淵明詩，人皆說是平淡，據某看他自豪放，但豪放來得不覺耳。其露出本相者，是〈詠荊軻〉一篇，平淡的人如何說得這樣言語出來。

——朱熹

一口氣速讀

陶淵明是兩漢魏晉南北朝八百年以來最傑出的詩人，也是傑出的詞賦家與散文家。

陶淵明的詩感情真摯，樸素自然，有時流露出逃避現實、樂天知命的老莊思想，因此，陶淵明有「田園詩人」之稱，也是田園詩派的鼻祖。他的詩從內容上可分為飲酒詩、詠懷詩和田園詩三大類。

陶淵明是中國文學史上第一個大量寫飲酒詩的詩人。他的〈飲酒〉二十首以「醉人」的語態或指責是非顛倒的上流社會；或揭露世俗的腐朽黑暗；或反映仕途的險惡；或表現詩人退出官場後怡然陶醉的心情；或表現詩人在困頓中的牢騷不平。

陶淵明的詠懷詩以〈雜詩〉十二首、〈讀山海經〉十三首為代表。〈雜詩〉十二首多表現了自己歸隱後有志難騁的政治苦悶，抒發了自己不與世俗同流合污的高潔人格。可見詩人內心無限深廣的憂憤情緒。〈讀山海經〉十三首借吟詠《山海經》中的奇異事物表達了同樣的內容，如第十首借歌頌精衛、刑天的「猛志固常在」來抒發和表明自己濟世志向永不熄滅。

陶淵明的田園詩數量最多，成就最高。這類詩充分表現了詩人鄙夷功名利祿的高遠志趣和守志不阿的高尚節操，也表現了詩人對理想世界的追求和嚮往。作為一個文人士大夫，這樣的思想感情，這樣的內容，出現在文學史上，是前所未有的，尤其是在門閥制度和觀念森嚴的社會裡顯得特別可貴。

陶淵明的詩在南北朝時影響不大。劉勰著《文心雕龍》，對陶淵明隻字未提。陶淵明的田園隱逸詩，對唐宋詩人有很大的影響。杜甫詩云：「寬心應是酒，遣興莫過詩，此意陶潛解，吾生後汝期」。宋代詩人蘇東坡對陶潛有很高的評價：「淵明詩初看似散緩，熟看有奇句。……大率才高意遠，則所寓得其妙，造語精到之至，遂能如此。似大匠運斤，不見斧鑿之痕。」蘇東坡更作一百零九篇和陶淵明有關的詩，可見陶淵明對蘇東坡的影響深遠。

陶淵明的藝術成就主要表現在詩歌上，但他為數不多的散文和辭賦，也寫得清新而有情致。〈五柳先生傳〉是他的小傳，全文不到兩百字，卻以精粹的筆墨和略帶諧謔自嘲的筆調，刻畫出詩人的性格形象。〈桃花源記〉是千古名篇，僅用三百多字，就為我們勾勒出了一幅理想社會的生活圖景，對後世產生了極深的影響。

一段傑出的篇章

結廬在人境，而無車馬喧。
問君何能爾，心遠地自偏。
採菊東籬下，悠然見南山。
山氣日夕佳，飛鳥相與還。
此中有真意，欲辨已忘言。

——〈飲酒〉其五

種豆南山下，草盛豆苗稀。
晨興理荒穢，帶月荷鋤歸。
道狹草木長，夕露沾我衣。
衣沾不足惜，但使願無違。

——〈歸園田居〉其三

一分鐘感悟

1. 暖暖遠人村，依依墟里煙。狗吠深巷中，雞鳴桑樹巔。
2. 不戚戚於貧賤，不汲汲於富貴。
3. 盛年不重來，一日難再晨，及時當勉勵，歲月不待人。
4. 好讀書，不求甚解；每有會意，便欣然忘食。
5. 一生復能幾，倏如流電驚。
6. 未言心相醉，不再接杯酒。

一個人的歷史

陶淵明（約西元365年-西元427年），字元亮，後改為潛，因家中長有五棵柳樹，被人稱為「五柳先生」，私諡「靖節先生」，潯陽柴桑（今江西九江西南）人。中國東晉著名詩人、文學家。其曾祖陶侃曾官至大司馬，封長沙郡公。祖父陶茂曾任武昌太守，父親陶逸也做過太守一類的官。雖然陶淵明非門閥世族出身，但他畢竟也曾有過顯赫的門第，只是到他手上，家庭已經破落。加上八歲喪父，以至「少而貧苦，居無僕妾，井臼弗任，藜菽不給」。為生活所迫，二十九歲時出仕，先後做過州祭酒、參軍。曾任彭澤縣令，僅八十餘日，以「不為五斗米折腰」而毅然歸隱，躬耕自資。從晉安帝義熙二年（西元406年）起隱居不仕。直至宋文帝元嘉四年（427年）病故。

歸隱的二十多年，是陶淵明創作最豐富的時期。田園生活是陶淵明寫作的主要題材，相關作品有〈飲酒〉、〈歸園田居〉、〈桃花源記〉、〈五柳先生傳〉、〈歸去來兮辭〉、〈桃花源詩〉等。

一點賞析的建議

陶淵明生活的東晉末年，政治腐敗，社會動盪，統治階級內部矛盾尖銳。腐朽的門閥制度控制著整個社會上層，寒門庶士在仕途上極難得到發展。這對家庭破落，本非世族的陶淵明的生活道路和文學創作產生了很大的影響。陶詩以自然清新、隱約微婉為其基調，但不排除他詩風激烈、慷慨、豪放的一面。讀者在閱讀的時候，要注意把握陶淵明以隱士形象和田園詩風著稱於世的格調。

《搜神記》
東晉 干寶

一句話點評

才非干寶，雅愛搜神。

——蒲松齡

一口氣速讀

干寶聞名於世的著作《搜神記》。關於《搜神記》寫作的原由，唐人房玄齡編的《晉書・干寶傳》曾記載了兩個小故事。

一個是說，干寶的父親有個很受寵愛的婢女，他的母親對此十分嫉妒，在干寶父親死的時候，就把那個婢女活活地推到墓裡殉葬。過了十幾年，他的母親也死了，於是他又打開父親的墓合葬，想不到那個婢女還伏在棺材上，跟活著時一樣，把她運回家中，過了幾天她竟蘇醒過來，說干寶的父親在陰間依然對她很好，經常賞給她好吃的食物。並且這個婢女還學會了預卜吉凶，非常靈驗。後來這個婢女嫁了人，竟還生了一個孩子。

另一個故事說，干寶的哥哥斷氣已經幾天了，但身體依然溫熱。過了幾天，竟又蘇醒過來，說自己見到了天地間許多鬼神，在冥間遊玩了一番，並不知道自己已經死了好幾天了。

依我們今天的眼光看來，記在正史裡的這兩個故事自然是十分荒誕的，前者純屬無稽之談，後者很可能是干寶的哥哥裝神弄鬼罷了。由此可見那個時代迷信之風十分盛行。干寶本人也十分迷信，史書上說他「好陰陽術數」，所以他對這些事十分相信，並且從此就竭力搜集古今的神祇靈異，把當時社會上許許多多千奇百怪的民間傳說記錄下來，寫成了《搜神記》。

《搜神記》的影響還體現在文學的其它領域。在戲劇方面，家喻戶曉的《天仙配》、《相思樹》，就與《搜神記》中的〈董永〉、〈韓憑妻〉有著直接的淵源關係。而元雜劇《竇娥冤》，其脈絡可直接上溯到《搜神記》裡的〈東海孝婦〉。在詩歌方面，唐代詩人白居易的〈長恨歌〉，寫及楊貴妃死後，唐玄宗日夜思念，讓道士施展法力求見貴妃魂魄，其情節就取自《搜神記》中的〈李少翁〉。可見，《搜神記》對後世的文學創作產生了深遠影響。

一段傑出的篇章

漢，董永，千乘人。少偏孤，與父居肆，力田畝，鹿車載自隨。父亡，無以葬，乃自賣為奴，以供喪事。主人知其賢，與錢一萬，遣之。永行，三年喪畢，欲還主人，供其奴職。道逢一婦人曰：「願為子妻。」遂與之俱。主人謂永曰：「以錢與君矣。」永曰：「蒙君之惠，父喪收藏，永雖小人，必欲服勤致力，以報厚德。」主曰：「婦人何能？」永曰：「能織。」主曰：「必爾者，但令君婦為我織縑百疋。」於是永妻為主人家織，十日而畢。女出門，謂永曰：「我，天之織女也。緣君至孝，天帝令我助君償債耳。」語畢，淩空而去，不知所在。

——《搜神記．董永》

一分鐘感悟

1. 忘年交結，恩義不輕；一旦分別，豈不愴恨？

2. 人之變異，無有定體。或大為小，或小為大，固無優劣。

3. 人生聚散離合，如浮雲變幻，宇宙萬物，盡皆如此，何必難過？

4. 烈炎寧做撲火飛蛾，也絕不做投暗蝙蝠！

5. 若無呷蜜意，請勿攀花枝。

6. 人有情，故自傷，劍無鋒，乃無敵。

一個人的歷史

干寶（？-西元336年），東晉文人，字令升，新蔡（今屬河南）人。干寶是中國古代著名的史學家和文學家，更是小說家的一代宗師。他的《搜神記》志怪短篇小說集在中國小說史上有著極其深遠的影響，被稱作中國小說的鼻祖。

一點賞析的建議

《搜神記》是集中國古代神話傳說之大成的著作，它搜集了古代的神異故事共四百一十多篇，開創了中國古代神話小說的先河。後來唐宋傳奇裡的不少故事，以及吳承恩的著名小說《西遊記》，都直接或間接地受到了《搜神記》的啟示和影響。魯迅先生著名小說集《故事新編》中的〈鑄劍〉，也是根據《搜神記》中的〈干將莫邪〉進行再創造而寫成的。

作為無神論者，我們完全能把有宣傳迷信傾向的《搜神記》當故事來讀。我們會發現人們生來就具有探奇索異的興趣，直到今天也沒有改變。

《文選》
南北朝 蕭統

一句話點評

蕭統前後三擬《文選》，不如意，輒焚之，惟留《恨》和《別離》。

——李白

一口氣速讀

《文選》是中國現存編選最早的詩文總集，它選錄了先秦至南朝梁代八九百年間、一百多個作者、七百餘篇各種體裁的文學作品。因是梁代昭明太子蕭統主持編選的，因此也稱《昭明文選》。

書中選錄先秦至梁的詩文辭賦，不選經、子，史書中也只略選「綜輯辭采」，「錯比文華」的論贊，已初步注意到文學與其它類型著作的區分，認為只有「事出於沉思，義歸於翰藻」者方可入為文學作品，在藝術形式上，尤注重駢儷、華藻。全書共分為三十八類，七百五十二篇作品。所選多是大家之作，時代越近的入選越多。其中以楚辭、漢賦和六朝駢文佔有相當比重，詩歌則多選對偶嚴謹的顏延之、謝靈運等人作品，陶淵明等人平易自然之作則入選較少。所選各家不少文集失散已久，皆賴此得以流傳。《文選》分類很多，反映出漢魏以來文學發展、文體增多的歷史現象。

《文選》在唐朝與《五經》並駕齊驅，盛極一時士子必須精通《文選》。宋代有「文章祖宗」之說。至元明清，有關《文選》的研究亦未嘗中輟。《文選》是今人研究梁以前文學的重要參考資料。

《文選》中錄入的〈古詩十九首〉代表了漢代文人五言詩的最高成就。它不是一時一地之作，作者也都沒有留下姓名。其主要的內容有兩個方面：一是抒發遊子的羈旅之懷；一是抒發思婦的閨愁之情。從詩作所描寫的內容來看，一般認為它們的作者大都是漂泊在外求取功業的遊子，抒發濃重的思鄉情緒、對功業未成的追戀、對時間的高度敏感以及從對方角度來描寫思念之苦等等。其抒情委曲婉轉、反覆低徊，其用語明白曉暢而又句句醇厚，堪稱古代抒情詩的典範。〈古詩十九首〉對後代文人詩的創作產生了巨大的影響。曹植、陸機、陶淵明等都不同程度學習借鑒了它的風格。

一段傑出的篇章

行行重行行，與君生別離。
相去萬餘里，各在天一涯。
道路阻且長，會面安可知？
胡馬依北風，越鳥巢南枝。
相去日已遠，衣帶日已緩。
浮雲蔽白日，遊子不顧反。
思君令人老，歲月忽已晚。
棄捐勿複道，努力家餐飯。

——《文選・古詩十九首》

一分鐘感悟

1. 老驥伏櫪，志在千里。
2. 淩波微步，羅襪生塵。
3. 驚風飄白日，忽然歸西山。
4. 木欣欣以向榮，泉涓涓而始流。
5. 池塘生春草，園柳變鳴禽。
6. 驚風飄白日，忽然歸西山。

一個人的歷史

蕭統（西元501年-西元531年），字德施，南蘭陵人（今江蘇常州西北），梁武帝蕭衍長子。從小聰明睿智，武帝天監元年（西元520年）立為太子，未及即位而卒，謚為昭明太子。

蕭統酷愛讀書，記憶力極強。五歲就讀遍儒家的「五經」，讀書時，「數行並下，過目皆憶」。他在東宮做太子時，東宮藏書近三萬卷，一時「名才並集，文學之盛，晉、宋以來未之有也」（《梁書·昭明太子傳》）。著名文人，如劉孝綽、殷芸、王筠等都受到他的禮遇，聚集在他的周圍。他的著述除《文選》以外，還有《文集》二十卷、《正序》十卷、《文章英華》二十卷，但都已失傳。後人輯有《昭明太子集》。《文選》的編撰究竟有哪些人參加，已很難考證，但有一點是可以加以肯定的，那就是它受到了劉勰《文心雕龍》的影響。

一點賞析的建議

讀者閱讀完這部詩集，基本上可以大致瞭解梁以前中國文學的概貌，對於閱讀梁以後的文學作品特別是唐宋的詩文非常有益。在閱讀時需要注意的是，由於賦這種題材在文學上的艱澀，建議先從詩歌讀起。在閱讀賦時，應先從抒情賦讀起。對於其它類型的賦，建議有選擇地去閱讀，不必過細，只作一般的瞭解即可。

《世說新語》
南北朝 劉義慶

一句話點評

《世說新語》記言則玄遠冷俊，記行則高簡瑰奇。

——魯迅

一口氣速讀

《世說新語》是中國魏晉南北朝時期筆記體短篇小說，採集了從東漢後期到東晉末年約兩百多年間一些名士的言談軼事。從內容來看，書中所錄雖多為零星片斷，但作者注意選擇典型的細節和有代表性的言行，或欣賞、或讚歎、或嘲諷、或譏刺，語言生動活潑，人物栩栩如生。全書沒有一個統一的思想，既有儒家思想，又有老莊思想和佛家思想，可能是出自多人之手。

《世說新語》產生於中國思想史上重要時代魏晉。魏晉時期戰亂頻繁、社會分裂、民族矛盾加劇，更為突出的特點是門閥士族佔據了統治地位。在文化上，傳統經學不再是惟一正統的權威，由儒入玄，玄儒結合則成為新的時代風尚。當時的名士喜清談。最早起源於漢代末年太學中的清議（即評論政治，評價當時的人物），此時變成了清談，內容從關心政事轉為侈談玄遠虛清的老莊思想。西晉末年，八王之亂，永嘉禍起，司馬氏王室偏安江左，政權頻繁更替，其統治都是實行暴政，貴族名士們只得在夾縫中求生存，尋逸樂，這便使玄學清談之風愈刮愈盛，且往往與佛理相雜，標榜超脫虛靜，追求放任自然。《世說新語》就是在這種環境下產生的。

《世說新語》主要記敘了士人的生活和思想及統治階級的情況，反映了魏晉時期文人的思想言行，上層社會的生活面貌，記載頗為豐富真實，這樣的描寫有助於讀者瞭解當時士人所處的時代狀況及政治社會環境，更讓我們明確的看到了所謂「魏晉清談」的風貌。

此外，《世說新語》善用作比較、比喻、誇張、與描繪的文學技巧，不僅使它保留下許多膾炙人口的佳言名句，更為全書增添了無限光彩。如今，《世說新語》除了有文學欣賞的價值外，人物事蹟、文學典故等也多為後世作者所取材引用，對後來的筆記影響尤其之大。

《世說新語》的文字一般都是很質樸的散文，有時用的都是口語，而意味雋永，在晉宋人文章中也頗具特色，因此歷來為人們所喜讀，其中有不少故事成了詩詞中常用的典故。

一段傑出的篇章

石崇與王愷爭豪，並窮綺麗，以飾輿服。武帝，愷之甥也，每助愷。嘗以一珊瑚樹，高二尺許賜愷。枝柯扶疏，世罕其比。愷以示崇。崇視訖，以鐵如意擊之，應手而碎。愷既惋惜，又以為疾己之寶，聲色甚厲。崇曰：「不足恨，今還卿。」乃命左右悉取珊瑚樹，有三尺四尺，條幹絕世，光彩溢目者六七枚，如愷許比甚眾。愷惘然自失。

——《世說新語・汰侈第三十》

一分鐘感悟

1. 二人同心，其利斷金；同心之言，其臭如蘭。

2. 既不能流芳後世，亦不足復遺臭萬年耶！

3. 小時了了，大未必佳。

4. 樹在路邊而多子，其必苦李。

5. 盲人騎瞎馬，夜半臨深池。

一個難忘的年代

關於《世說新語》的作者，自《隋書·藝文志》至《四庫全書總目》，歷代著錄所記，都認為是南朝劉義慶，然而魯迅先生在《中國小說史略》一書中提出了異議。魯迅先生認為：「《宋書》言義慶才詞不多，而招聚文學之士，遠近必至，則諸書或成於眾手，亦未可知也。」自魯迅先生「成於眾手」之說一出，至今聚訟紛紜，難有定論。

有人認為，劉義慶門下聚集了不少文人學士，他們根據前人類似著述如裴啟的《語林》等，編成該書。劉義慶只是宣導和主持了編纂工作，但全書體例風格基本一致，沒有出於眾手或抄自群書的痕跡，這應當歸功於他的主編之力。

劉義慶（403-444年），南朝宋彭城（現江蘇徐州）人，曾任荊州刺史，愛好文學，《世說新語》是由他組織一批文人編寫。本是宋武帝劉裕之弟長沙王劉道憐的兒子，十三歲時被封為南郡公，後過繼給叔父臨川王劉道規，因此襲封為臨川王，官至尚書左僕射、中書令。劉義慶自幼喜好文學、聰敏過人，深得宋武帝、宋文帝的信任，備受禮遇。他尊崇儒學，晚年好佛，「為性簡素，寡嗜欲，愛好文義。……招集文學之士，近遠必至」（《宋書劉道規傳》）他所招集的文學之士很可能參加了《世說新語》的編撰，不過起主導作用的當然還是劉義慶本人。除《世說新語》外，劉義慶還著有志怪小說《幽明錄》。

《世說新語》一書剛剛撰成，劉義慶就因病離開揚州，回到京城不久便英年早逝，時年僅四十一歲，宋文帝哀痛不已，贈其諡號為「康王」。

一點賞析的建議

人們常說「魏晉風神」、「魏晉風流」最典型的材料就集中在《世說新語》中。歷代文人除了欽慕戰國「百家爭鳴」的文化之外，其次就是魏晉的文化了。閱讀時請讀者把握這部書是如何在時代氛圍下，通過富有特徵的語言和行為來展現人物性情和精神風貌的。

《世說新語》一書篇幅短小，多是一些有趣的小故事，但文章多用當時口語，而一些用法未能繼續流傳，我們在典籍中也很少見到，所以讀起來會有些障礙。最好參讀一些注本。

在理解語言文字的基礎上，要重點領會魏晉士人的內心世界和精神旨趣，這就需要瞭解一點背景知識。

其實《世說新語》雖是文言文，卻很淺，裡面的實詞一般的漢語詞典都能查到，如有專門的適合的古漢語詞典查起來就更快，如果查《辭海》或《辭源》更好。

《文心雕龍》
南北朝 劉勰

一句話點評

《文心雕龍》是部「體大思精」「深得文理」的文章寫作理論巨著。

——《應用寫作》

一口氣速度

《文心雕龍》是中國第一部系統文藝理論巨著，也是一部理論批評著作。

《文心雕龍》分上下兩編，每編二十五篇，包括「總論」、「文體論」、「創作論」、「批評論」和「總序」等五部分。其中總論五篇，論「文之樞紐」，打下理論基礎；文體論二十篇，每篇分論一種或兩三種文體；創作論十九篇，分論創作過程、作家風格、文質關係、寫作技巧、文辭聲律等；批評論五篇，從不同角度對過去時代的文風及作家的成就提出批評，並對批評方法作了探討，也是全書精彩部分；最後一篇〈序志〉是全書的總序，說明了自己的創作目的和全書的部署意圖。《文心雕龍》全書受《周易》二元哲學的影響很大。

《文心雕龍》是中國有史以來最精密的批評的書，「體大而慮周」，全書重點有兩個：一個是反對不切實用的浮靡文風；一個是主張實用的「攡文必在緯軍國」之落實文風。劉勰把全部的書都當成文學書來看，所以本書的立論極為廣泛。

儒家中庸原則是貫穿《文心雕龍》全書的基調。劉勰提出的主要的美學範疇都是成對的，矛盾的雙方雖有一方為主導，但他強調兩面，而不偏執一端。文中提出「擘肌分理，唯務折衷」，在對道與文、情與采、真與奇、華與實、情與志、風與骨、隱與秀的論述中，無不遵守這一準則，體現了把各種藝術因素和諧統一起來的古典美學理想。

《文選雕龍》一書的觀點認為文學的發展變化，終歸要受到時代及社會政治生活的影響。並在〈時序〉、〈通變〉、〈才略〉等篇目裡，從上古至兩晉結合歷代政治風尚的變化和時代特點來探索文學盛衰的原因，品評作家作品。如認為建安文學「梗概而多氣」的風貌，是由於「世積亂離，風衰俗怨」而形成；東晉玄言詩氾濫，是由於當時「貴玄」的社會風尚所決定。注意到了社會政治對文學發展的決定影響。不僅如此，書中還注意到了文學演變的繼承關係。並由此出發，反對當時「競今疏古」的不良傾向。這些都是十分可貴的。

一段傑出的文章

昔詩人什篇，為情而造文；辭人賦頌，為文而造情。何以明其然？蓋風雅之興，志思蓄憤，而吟詠情性，以諷其上，此為情而造文也；諸子之徒，心非鬱陶，苟馳誇飾，鬻聲釣世，此為文而造情也。故為情者要約而寫真，為文者淫麗而煩濫。而後之作者，采濫忽真，遠棄風雅，近師辭賦，故體情之制日疏，逐文之篇愈盛。故有志深軒冕，而泛詠皋壤。心纏幾務，而虛述人外。真宰弗存，翩其反矣。夫桃李不言而成蹊，有實存也；男子樹蘭而不芳，無其情也。夫以草木之微，依情待實；況乎文章，述志為本。言與志反，文豈足徵？

——《文心雕龍．情采》節選

一分鐘感悟

1. 登山則情滿於山，觀海則意溢於海。我才之多少，將與風雲而並驅矣。
2. 知音其難哉！音實難知，知實難逢，逢其知音，千載其一乎！
3. 一人之辨，重於九鼎之寶；三寸之舌，強於百萬之師。

一個人的歷史

劉勰（約西元465年-西元520年），字彥和，山東莒縣（今山東省日照市莒縣）人，生活於南北朝時期。中國歷史上著名的文學理論家。他曾官縣令、步兵校尉、宮中通事舍人，頗有清名。晚年在山東莒縣浮來山創辦（北）定林寺。劉勰雖任多官職，但其名不以官顯，卻以文彰，一部《文心雕龍》奠定了他在中國文學史上和文學批評史上不可或缺的地位。

《梁書．劉勰傳》記載，劉勰早年家境貧寒，篤志好學，終生未娶，曾寄居江蘇鎮江，在鍾山的南定林寺裡，跟隨僧祐研讀佛書及儒家經典，三十二歲時開始寫《文心雕龍》，歷時五年，終於書成中國最早的文學評論巨著，對後世影響頗大。

一點賞析的建議

劉勰能在距今一千五百餘年之前，提出寫文章的精闢理論實為難能可貴。閱讀時要重點領會作者的思想，認識到這部文學批評理論在文學史上的重要地位。

三

萬紫千紅的隋唐五代時期

《王維詩集》
唐 王維

一句話點評

味摩詰之詩，詩中有畫；觀摩詰之畫，畫中有詩。

——蘇軾

一口氣速讀

《王維詩集》的詩現存不滿四百首。其中最能代表其創作特色的是描繪山水田園等自然風景及歌詠隱居生活的詩篇。

王維描繪自然風景的高度成就，使他在盛唐詩壇獨樹一幟，成為山水田園詩派的代表人物。他繼承和發展了謝靈運開創的寫作山水詩的傳統，對陶淵明田園詩的清新自然也有所吸取，加上他自身高度的文學、繪畫和音樂修養，因此，一生創作了許多不朽的詩作，使山水田園詩的成就達到了一個高峰，因而在中國詩歌史上佔有重要的位置。他本人也成為詩壇上開宗立派的大師，與孟浩然並稱，被稱為「王孟」，是唐代山水田園詩派的代表人物。

縱觀王維的一生，大約可以四十歲為界，劃分為前後兩期，前期仕途順利，政治熱情高漲，充滿濟世之志。並寫下了很多詠政詩，邊塞詩，風格也較為熱烈豪放。四十歲後，隨著李林甫執政，唐代政治逐漸走向腐敗，他的政治熱情受到壓抑，逐步走上一條迴避政治鬥爭，追求的閒適的生活道路。他先是在終南山、藍田、輞川等地隱居，身為官吏，卻全身遠禍於林下。期間創作了許多優美的山水田園詩。這是他創作山水詩的社會基礎和思想基礎。

王維的山水田園之作，在描繪自然美景的同時，流露出閒居生活中閒逸蕭散的情趣。王維的寫景詩篇，常用五律和五絕的形式，篇幅短小，語言精美，音節較為舒緩，用以表現幽靜的山水和詩人恬適的心情，表達的恰到好處。

王維在詩歌上的成就是多方面的，無論邊塞、山水詩、律詩還是絕句等都有流傳人口的佳篇。他的詩句被蘇軾稱為「味摩詰之詩，詩中有畫，觀摩詰之畫，畫中有詩」。他確實在描寫自然景物方面，有其獨到的造詣。無論是名山大川的壯麗宏偉，或者是邊疆關塞的壯闊荒寒，小橋流水的恬靜，都能準確、精鍊地塑造出完美無比的鮮活形象，著墨無多，意境高遠，詩情與畫意完全融合成為一個整體。

一段傑出的篇章

渭城朝雨邑輕塵，客舍青青柳色新。

勸君更盡一杯酒，西出陽關無故人。

——〈送元二使安西〉

單車欲問邊，屬國過居延。

征蓬出漢塞，歸雁入胡天。

大漠孤煙直，長河落日圓。

蕭關逢候騎，都護在燕然。

——〈使至塞上〉

一分鐘感悟

1. 明月松間照，清泉石上流。

2. 草枯鷹眼疾，雪盡馬蹄輕。

3. 日落江湖白，潮來天地青。

4. 遠樹帶行客，孤城當落暉。

5. 惟有相思似春色，江南江北送君歸。

6. 獨在異鄉為異客，每逢佳節倍思親。

一個人的歷史

王維（西元701年-西元761年），字摩詰，外號「詩佛」。祖籍太原祁州（今山西祁縣），其父始遷居於蒲（今山西永濟縣）。少有才名，開元九年進士，任大樂丞，後謫官濟州。曾在淇上、嵩山一帶隱居，開元二十三年被宰相張九齡提拔為有拾遺。後遷監察御史，奉史出塞，在涼州河西節度府兼為判官。天寶年間先後在終南山和輞川隱居，過著亦官亦隱的生活。安史之亂時，安祿山強迫他做官。亂平後降為太子中允，篤定奉佛，惟以禪頌為事。後官至尚書右丞。六十一歲時卒。

除了詩歌，王維在繪畫、音樂、書法等方面都有很深的造詣，他創造了水墨山水畫派。擅長畫宗教人物、花竹等，被稱為「南宗畫之祖」。王維受禪宗影響很大，精通佛學，佛教有一部《維摩詰經》，是王維向弟子們講學的書。清人趙殿成曾為王維詩集作箋注。

一點賞析的建議

王維雖然不是中國詩歌史上成就最高的詩人，但絕對是最重要的詩人之一，是山水田園詩派的主要代表。王維以清新淡遠，自然脫俗的風格，創造出一種「詩中有畫，畫中有詩」、「詩中有禪」的意境，在詩壇樹起了一面不倒的旗幟。

他的詩語言含蓄，清新明快，句式、節奏富於變化，音韻響亮、和諧，具有音樂美。注意體會他作品裡詩中有畫的特點。

《李白全集》
唐 李白

一句話點評

李白的詩逸氣淩雲，天然秀麗。

——沈德潛

一口氣速讀

李白生活在盛唐時期，他性格豪邁，熱愛山河大川，遊遍南北各地，寫出大量讚美名山大川的壯麗詩篇。他的詩，既豪邁奔放，又清新飄逸，並且意境奇妙，想像豐富，語言輕快，被後人譽為「詩仙」。

李白的詩歌不僅具有典型的浪漫主義精神，而且從素材選取、形象塑造，以及體裁選擇和各種藝術手法的運用，無不具有典型的浪漫主義藝術特徵。

李白成功的在詩歌中塑造自我，強烈地表現自我，突出主人公的獨特個性，因而他的詩歌具有鮮明的浪漫主義特色。他喜歡採用雄奇的形象表現自我，在詩中毫不掩飾、也不加節制地抒發感情，表現他的喜怒哀樂。

豪放是李白詩歌的主要特徵。除了性格、才情遭際諸多因素外，李白的詩歌採用的藝術表現手法和體裁結構也是形成他豪放飄逸風格的重要原因。善於憑藉想像，以主觀寫客觀是李白詩歌浪漫主義藝術手法的重要特徵。他的想像極其豐富，幾乎篇篇都有想像，甚至有的通篇運用多種多樣的想像。現實事物、自然景觀、神話傳說、歷史典故、夢中幻境，無不成為他想像的媒介。他常常借助想像，超越時空，將現實與夢境、仙境，把自然界與人類社會交織一起，再現客觀現實。他筆下的形象不是客觀現實的直接反映，而是其內心主觀世界的外化，藝術的真實。

李白最擅長的體裁是七言歌行和絕句。七言歌行篇幅長、容量大，形式自由，宜於表達詩人矛盾複雜的思想，抒發奔放恣肆的才情，而李白的七言歌行又採用了大開大合、跳躍宕蕩的結構。詩的開頭常突兀如狂飆驟起，而詩的中間形象轉換倏忽，往往省略過渡照應，似無跡可循，詩的結尾多在感情高潮處戛然而止。

李白的五言、七言絕句，更多地代表了他的詩歌清新明麗的風格。如〈早發白帝城〉、〈送孟浩然之廣陵〉等。

李白詩歌的語言，有的清新如同口語，有的豪放，不拘聲律，近於散文，但都統一在「清水出芙蓉，天然去雕飾」的自然美之中。

李白創造了古代積極浪漫主義文學的高峰，為唐詩的繁榮與發展打開了新局面，批判性的繼承了前人的傳統並形成自己獨特的風格，歌行體和七絕達到後人難以企及的高度，開創了中國古典詩歌的黃金時代。

一段傑出的篇章

花間一壺酒，獨酌無相親。

舉杯邀明月，對影成三人。

月既不解飲，影徒隨我身。

暫伴月將影，行樂須及春。

我歌月徘徊，我舞影零亂。

醒時同交歡，醉後各分散。

永結無情遊，相期邈雲漢。

——〈月下獨酌（之一）〉

蘭陵美酒鬱金香，玉碗盛來琥珀光。

但使主人能醉客，不知何處是他鄉。

——〈客中行〉

一分鐘感悟

1. 長風破浪會有時，直掛雲帆濟滄海。
2. 天生我材必有用，千金散盡還復來。
3. 抽刀斷水水更流，舉杯消愁愁更愁。
4. 我寄愁心與明月，隨風直到夜郎西。
5. 安能摧眉折腰事權貴，使我不得開心顏。
6. 棄我去者，昨日之日不可留；亂我心者，今日之日多煩憂。

一個人的歷史

李白（西元701年-西元762年），字太白，號青蓮居士。關於他的家世和出生地目前還沒有定論，認為他祖籍甘肅天水，先世流入西域，生於中亞碎葉（今吉爾吉斯斯坦共和國托克馬克附近）。李白是唐代傑出的詩人，在唐時即被譽為「謫仙」。

李白的一生大致可分為五個時期：（1）蜀中讀書、任俠時期（西元705-西元724年）；（2）漫遊和追求功業時期（西元724-西元742年）；（3）長安供奉翰林時期（西元742-西元744年）；（4）賜金放還，漫遊梁宋、齊魯時期（西元744-西元755年）；（5）入永王李璘幕及被獲罪流放、獲釋到病死（西元755-西元762年）時期。李白所處的時代正是唐王朝發展到全盛、開始走向衰弱的轉折時期；他的作品是盛唐氣象的傑出代表，同時又反映了繁榮背後所隱藏的危機。李白是盛唐浪漫詩歌派的代表，把中國詩歌的浪漫主義推向高峰。

一點賞析的建議

我們在閱讀李白詩歌，享受文字的愉悅和感受他的浪漫情懷的同時，更要注意他的詩歌的磅礴大氣和驚人的藝術表現力。同時我們也要把他的詩歌他生活的時代聯繫起來，同他個人的人生際遇聯繫起來，和盛唐氣象聯繫起來，才能夠真正讀懂那些精美的篇章。

《杜甫詩集》

唐 杜甫

一句話點評

杜甫似乎不是古人，就好像今天還活在我們堆裡似的。

——魯迅

一口氣速讀

杜甫生活在唐朝由盛轉衰的歷史時期，其詩多涉及到社會動盪、政治黑暗、人民疾苦。他的詩反映當時社會矛盾和人民疾苦，題材廣泛，寄意深遠，尤其描述民間疾苦，多抒發他悲天憫人的仁民愛物、憂國憂民情懷，表達了崇高的儒家仁愛精神和強烈的憂患意識，因而其詩風沉鬱頓挫，杜甫的詩被稱為「詩史」，是盛唐時期偉大的現實主義詩人。

杜甫一生寫詩一千五百多首，其中很多是傳頌千古的名篇，如「三吏」和「三別」，並有《杜工部集》傳世。其中「三吏」為〈石壕吏〉、〈新安吏〉和〈潼關吏〉，「三別」為〈新婚別〉、〈無家別〉和〈垂老別〉。杜甫的詩篇流傳數量是唐詩裡最多最廣泛的，是唐代最傑出的詩人之一，對後世影響深遠。杜甫作品被稱為世上瘡痍，詩中聖哲；民間疾苦，筆底波瀾。

杜甫善於運用古典詩歌的許多體制，並加以創造性地發展。他是新樂府詩體的開路人。他的樂府詩，促成了中唐時期新樂府運動的發展。他的五七古長篇，亦詩亦史，展開鋪敘，而又著力於全篇的迴旋往復，標誌著中國詩歌藝術的高度成就。杜甫在五七律上也表現出顯著的創造性，累積了關於聲律、對仗、鍊字鍊句等完整的藝術經驗，使這一體裁達到完全成熟的階段。

杜甫的詩歌在風格上，是兼備多種風格的，主流觀點認為，杜甫詩歌的風格沉鬱頓挫，語言精鍊，格律嚴謹，窮絕工巧，感情真摯，平實雅談，描寫深刻，細膩感人，形象鮮明。「為人性僻耽佳句，語不驚人死不休」是他的創作風格。

就杜詩特有的敘事風格和議論風格而言，有學者認為是受到《詩經・小雅》的影響，而其悲歌慷慨的格調，又與〈離騷〉相近。也有學者認為，杜詩具有仁政思想的傳統精神，司馬遷的實錄精神。還有觀點認為杜甫詩作具有「人道主義精神」。

杜甫的詩歌在格律上，具有鍊字精到，對仗工整的特點，符合中國詩歌的審美情趣，如「風急天高猿嘯哀，渚清沙白鳥飛回，無邊落木蕭蕭下，不盡長江滾滾來」，就是杜詩鍊字與對仗高超的體現。

一段傑出的篇章

岱宗夫如何？齊魯青未了。
造化鐘神秀，陰陽割昏曉。
蕩胸生層雲，決眥入歸鳥。
會當淩絕頂，一覽眾山小。

——〈望岳〉

國破山河在，城春草木深。

感時花濺淚，恨別鳥驚心。

烽火連三月，家書抵萬金。

白頭搔更短，渾欲不勝簪。

——〈春望〉

一分鐘感悟

1. 但見新人笑，哪聞舊人哭。
2. 朱門酒肉臭，路有凍死骨。
3. 千秋萬歲名，寂寞身後事。
4. 爾曹身與名俱滅，不廢江河萬古流。
5. 出師未捷身先死，長使英雄淚滿襟。
6. 安得廣廈千萬間，大庇天下寒士俱歡顏，風雨不動安如山。

一個人的歷史

杜甫（西元712年-西元770年），字子美，自號少陵野老，鞏縣（今河南鞏義）人。因其曾任左拾遺、檢校工部員外郎，因此後世稱其杜拾遺、杜工部；又因為他搭草堂居住在長安城外的少陵，也稱他杜少陵、杜草堂。

杜甫主要生活在唐朝由盛轉衰的時期，即開元全盛和安史之亂。杜甫的一生大致可分為四個時期：（1）讀書漫遊時期（35歲以前）；（2）困守長安時期（35歲-44歲）；（3）陷賊與為官時期（45歲-46歲）；（4）漂泊西南時期（48歲以後）。

西南夔州時期，無論是在藝術上還是在數量上都是杜甫詩歌創作的高峰期。現存最早的杜詩本子是宋代王洙所編的《杜工部集》，最早的杜詩注本是南宋初年趙注本（已殘，今人林繼中有《杜詩趙次公先後解輯校》），其後注家越來越多，出現了所謂千家注杜詩的繁盛局面。其中比較重要的有黃鶴黃希父子《黃氏補千家集注杜工部詩史》、錢謙益《杜工部集箋注》、仇兆鰲《杜詩詳注》、浦起龍《讀杜心集》、楊倫《杜詩鏡銓》等。

一點賞析的建議

杜甫的詩常常被人稱為詩史，主要在於它所具有史的認識價值。在杜甫所生活的年代所發生的重大歷史事件，在杜詩中基本上都有所反映。如〈憶昔〉對開元盛世的描寫，「三吏」、「三別」對安史之亂的描寫等，都能以史家之識和史家之筆加以記述。把描寫歷史事件與強烈的主觀抒情結合起來，將時事與家、國以及個人的生活遭遇、情感相聯繫起來，從而使詩歌具有很強的抒情性。

《韓昌黎集》
唐 韓愈

一句話點評

韓愈的散文，氣勢充沛，縱橫開闔，奇偶交錯，巧譬善喻，或詭譎，或嚴正，具有多樣的藝術特色。

——錢仲聯

一口氣速讀

韓愈長於詩文，力斥當時駢文，提倡古文，其詩有論者以為可以列李白、杜甫之後，居全唐第三。韓詩以文為詩，以論為詩，求新求奇，有氣勢，對糾正大曆詩風起到了一定作用，對宋詩產生了較大影響。

韓愈在文學上力主「文以載道」，自云：「己之道，乃夫子、孟軻、揚雄所傳之道」。於〈原道〉一文，更確立儒家道統譜系，以承繼者自任，擯除諸子百家之說。

《韓昌黎集》中前十卷是詩，後三十卷是文。在文學創作理論上，韓愈認為道，即仁義，是目的和內容，文是手段和形式，強調文以載道。

韓愈在詩歌創作上有新的探索，所謂「以文為詩」，別開生面，用韻險怪，開創了「說理詩派」的詩風。當然，他的詩也存在著過分散文化、議論化的缺點。

韓愈散文內容豐富，形式多樣，語言鮮明簡練，為古文運動樹立了典範。其散文作品大致可分為以下幾類：

論說文，一種是宣揚道統和儒家思想，如〈原道〉、〈原性〉、〈原人〉；另一種是重在反映現實，並在行文中夾雜著強烈的感情傾向，如最有代表性的〈師說〉、〈馬說〉。

雜文，與論說文相比，雜文更為自由隨便，或長或短，或莊或諧，如〈進學解〉，通過問答的方式，反話正說，行文輕鬆活潑。雜文中最可矚目的是那些嘲諷現實、議論犀利的精悍短文，如〈雜說〉、〈獲麟解〉等，有很高的文學價值。

序文，即贈序，大都言簡意賅，別出心裁，表現對現實社會的各種感慨，如〈張中丞傳後敘〉、〈送李愿歸盤谷序〉、〈送孟東野序〉等。此外，韓愈還在傳記、碑誌中表現出狀物敘事的傑出才能，如〈毛穎傳〉、〈柳子厚墓誌銘〉等。

傳記、抒情散文，韓愈的傳記文繼承《史記》傳統，敘事中刻畫人物，議論、抒情妥帖巧妙。〈張中丞傳後敘〉是公認的名篇。他的抒情文中的〈祭十二郎文〉又是祭文中的千年絕調，具有濃厚的抒情色彩。

一段傑出的篇章

古之學者必有師。師者，所以傳道、授業、解惑也。人非生而知之者，孰能無惑？惑而不從師，其為惑也，終不解矣。生乎吾前，其聞道也，固先乎吾，吾從而師之；生乎吾後，其聞道也，亦先乎吾，吾從而師之。吾師道也，夫庸知其年之先後生於吾乎？是故無貴無賤，無長無少，道之所存，師之所存也。

嗟乎！師道之不傳也久矣！欲人之無惑也難矣！古之聖人，其出人也遠矣，猶且從師而問焉；今之眾人，其下聖人也亦遠矣，而恥學於師。是故聖益聖，愚益愚；聖人之所以為聖，愚人之所以為愚，其皆出於此乎！愛其子，擇師而教之；於其身也，則恥師焉，惑矣！彼童子之師，授之書而習其句讀者也，非吾所謂傳其道解其惑者也。句讀之不知，惑之不解，或師焉，或不焉，小學而大遺，吾未見其明也。巫醫、樂師、百工之人，不恥相師。士大夫之族，曰師曰弟子云者，則群聚而笑之。問之，則曰：「彼與彼年相若也，道相似也。位卑則足羞，官盛則近諛。」嗚呼！師道之不復可知矣！巫醫、樂師、百工之人，君子不齒。今其智乃反不能及，其可怪也歟！

——〈師說〉

一分鐘感悟

1. 昵昵兒女語，恩怨相爾汝。
2. 親之割之不斷，疏者屬之不堅。
3. 書山有路勤為徑，學海無涯苦作舟。
4. 雲橫秦嶺家何在？雪擁藍關馬不前。
5. 業精於勤而荒於嬉，行成於思而毀於隨。
6. 古之君子，其責己也重以周，其待人也輕以約。

一個人的歷史

韓愈（西元768年-西元824年），字退之，河南河陽（今河南孟縣）人，祖籍郡望昌黎郡（今河北省昌黎縣），世稱韓昌黎；晚年任吏部侍郎，又稱韓吏部。唐代文學家，與柳宗元是當時古文運動的宣導者，合稱「韓柳」。蘇軾稱讚他「文起八代之衰，道濟天下之溺，忠犯人主之怒，勇奪三軍之帥。」明朝人推他為唐宋八大家之首，有「文章巨公」和「百代文宗」之名。他的散文、詩歌均有名氣。

一點賞析的建議

韓愈的作品形式多樣豐富，有賦、詩、論、說、傳、記、頌、贊、書、序、哀辭、祭文、碑誌、狀、表、雜文等各種體裁的作品，有他的散文、詩歌創作，實現了自己的理論，即文以載道，在閱讀時要領悟具有一定感染力的佳作。

《白居易全集》

唐 白居易

一句話點評

真跡點竄，多與初作不侔，可知白居易作詩、改詩之刻苦認真。他的詩達到這樣的藝術水準，是作者付出了多少辛苦才獲得的。

——張文潛

一口氣速讀

白居易是中唐時期重要的詩人，他的詩歌主張和詩歌創作，以其對通俗性、寫實性的突出強調和全力表現，在中國詩史上佔有重要的地位。

白居易認為文學是反映自己人生哲學的工具。而依自己的現況，又可分為「兼濟」、與「獨善」兩類。白居易曾將自己的詩分為諷喻、閒適、感傷和雜律四類，並提出「文章合為時而著，歌詩合為事而作」的主張。

白居易最為重視的是諷喻詩，其創作意旨是用詩歌補時政之不足。在〈與元九書〉裡，描述他的人生哲學是「達則兼濟天下，窮則獨善其身」，認為應當堅守自己的理想，以等待適當時機到來。當時機來臨時，就要努力實踐自己的理想，反映在詩文上，就是「諷諭詩」的創作。代表作有〈秦中吟〉、〈新樂府〉等，詩歌理論的實踐，對當時社會的諸多問題提出了比較系統的規諫之辭，是中國古典詩歌現實主義的代表作。

閒適詩是白居易在公餘之暇獨處或因病而閒居時寫作，用以陶冶性情，反映其「知足保和」人生哲學的詩歌。此類詩歌白居易本人非常重視。

感傷詩是白居易因外界事物有感而發所寫成的詩歌，他的感傷詩中最有名的是長篇敘事詩〈長恨歌〉和〈琵琶行〉。

由元稹為白居易所編的《白氏長慶集》的歸類可知，雜律詩泛指未能歸類為「諷諭」、「閒適」、「感傷」三類的詩歌。這類詩歌常是因遇到某些時空情境或事物，詩人隨性地寫出的詩歌，常用作與朋友們彼此舒懷的工具。由於「諷諭」、「閒適」、「感傷」三類全屬古體詩，白居易所作的近體詩全數被歸類為「律詩」。

白居易早年積極從事政治改革，關懷民生，宣導新樂府運動，主張詩歌創作不能離開現實，須取材於現實事件，反映時代的狀況，是繼杜甫之後實際派文學的重要領袖人物之一。他晚年雖仍不改關懷民生之心，卻因政治上的不得志，而多時放意詩酒，作〈醉吟先生傳〉以自況。白居易與元稹齊名，號「元白」，兩人是文學革新運動的夥伴。晚年白居易又與劉禹錫唱和甚多，人稱為「劉白」。

白居易的作品，在他在世的時候，就已經廣為流傳於社會各地、各階層，乃至外國，如新羅、日本等地，產生很大的影響。重要的詩歌有〈長恨歌〉、〈琵琶行〉、〈秦中吟〉、〈新樂府〉等，重要的文章有〈與元九書〉等。

一段傑出的篇章

贈君一法決狐疑，不用鑽龜與祝蓍。
試玉要燒三日滿，辨材須待七年期。
周公恐懼流言日，王莽謙恭未篡時。
向使當初身便死，一生真偽復誰知？

——〈放言五首〉其三

離離原上草，一歲一枯榮。
野火燒不盡，春風吹又生。
遠芳侵古道，晴翠接荒城。
又送王孫去，萋萋滿別情。

——〈賦得古原草送別〉

一分鐘感悟

1. 人間四月芳菲盡，山寺桃花始盛開。
2. 亂花漸欲迷人眼，淺草才能沒馬蹄。
3. 同是天涯淪落人，相逢何必曾相識！
4. 賣炭翁，伐薪燒炭南山中。滿面塵灰煙火色，兩鬢蒼蒼十指黑。
5. 思悠悠，恨悠悠。恨到歸時方始休，月明人倚樓
6. 在天願作比翼鳥，在地願為連理枝。天長地久有時盡，此恨綿綿無絕期。

一個人的歷史

白居易（西元772年-西元846年），字樂天，晚號香山居士、醉吟先生，曾以詩仙、詩魔自比，另有廣大教化主的稱號。生於河南新鄭（祖籍山西太原），唐代文學家，擅長寫詩，是中唐最具代表性的詩人之一。作品平易近人，乃至於有「老嫗能解」的說法。

白居易的一生大致可以劃分為五個時期。（1）早年生活（32歲以前），白居易青年時期家境貧困，八〇二年試拔翠科及第，與同時及第的元稹訂交，成為終身好友。（2）長安與早年的仕官生活（32歲-44歲），寫了大量的反應社會現實的詩歌。（3）江州與貶謫生涯（44歲-49歲），貶謫江州是白居易一生的轉捩點，他的行事漸漸轉向「獨善其身」，過著恬然自處的生活。（4）出任蘇杭刺史（49歲-56歲），這期間，白居易與元稹有許多往還的贈答詩篇。（5）洛陽與晚年生活（56歲-75歲），晚年的白居易大多是以「閒適」的生活反應自己「窮則獨善其身」的人生哲學。

一點賞析的建議

白居易的詩明白曉暢，這是被歷來評注家所注意到的。據惠洪《冷齋夜話》記載：「白樂天每作詩，令老嫗解之。問曰：解否？嫗曰：解，則錄之，不解則易之，故唐末之詩近於鄙俚。」此事雖未必確實，但可見白居易在詩歌語言上所做的力求淺近易懂的努力。讀者在易懂白居易的詩歌時，也要能夠體會這點，並把詩人不同時期的人生遭遇與其創作的詩歌聯繫起來，更為容易理解詩歌所傳達出來的情感。

《李商隱詩集》
唐 李商隱

一句話點評

於李、杜後，能別開生路，自成一家者，唯李義山一人。

——清初吳喬雲

一口氣速讀

李商隱是唐代後期最為傑出的詩人，晚唐詩歌在前輩的光芒照耀下有著大不如前的趨勢，而李商隱所獨創的無題詩，含蓄蘊藉，音調諧美，深情綿邈，沉博絕麗，且富於象徵和暗示色彩，將唐代詩歌又推向了另一個高峰。

李商隱的詩抒寫了晚唐時期知識分子的悲劇命運與苦痛生涯，深刻反映了晚唐的政治鬥爭和衰亡破敗的社會現實，揭露統治階級腐朽無能，同情人民的疾苦，於文、武、宣三朝，堪稱「詩史」。

李商隱的詩歌主要可以分為四類：

政治詠史詩：作為一個關心政治的知識分子，李商隱寫了大量這方面的詩歌，留存下來的約有一百首左右。〈富平少侯〉、〈北齊二首〉、〈茂陵〉等是其中的代表。

抒懷詠物詩歌：李商隱一生仕途坎坷，心中的抱負無法得到實現，於是就通過詩歌來排遣心中的抑鬱和不安。〈安定城樓〉、〈春日寄懷〉、〈樂遊原〉、〈杜工部蜀中離席〉是流傳得較廣的幾首。

情感詩：包括大多數無題詩在內的吟詠內心感情的作品是李商隱詩歌中最富有特色的部分，也獲得了後世最多的關注。〈錦瑟〉、〈燕臺詩〉、〈碧城三首〉等，保持了與無題詩類似的風格。

應酬交際詩：在李商隱用於交際的詩作中，寫給令狐綯的幾首詩，如〈酬別令狐補闕〉、〈寄令狐郎中〉、〈酬令狐郎中見寄〉、〈寄令狐學士〉、〈夢令狐學士〉、〈令狐舍人說昨夜西掖玩月因戲贈〉，特別引人注意，為解釋他與令狐綯的關係提供了直接的證據。

李商隱的詩繼承、發展了中國古典詩歌的藝術技巧，成就很高。他繼承了杜甫七律的沉鬱頓挫，融入了齊梁詩的華麗濃豔，學習李賀詩的鬼異幻想，形成了他深情、纏綿、綺麗、精巧的風格。李詩還善於用典，借助恰當的歷史類比，使隱秘難言的意思得以表達，疏解自己內心不平與感歎自己命運的不幸，更有面對朝政種種荒淫無道的憤慨以及對正一步步走向衰敗的唐皇朝的哀歎。

一段傑出的篇章

昨夜星辰昨夜風，畫樓西畔桂堂東。

身無彩鳳雙飛翼，心有靈犀一點通。

隔座送鉤春酒暖，分槽射覆蠟燈紅。

嗟余聽鼓應官去，走馬蘭臺類轉蓬。

——〈無題〉（二首其一）

錦瑟無端五十弦，一弦一柱思華年。

莊生曉夢迷蝴蝶，望帝春心託杜鵑。

滄海月明珠有淚，藍田日暖玉生煙。

此情可待成追憶，只是當時已惘然。

——〈錦瑟〉

一分鐘感悟

1. 夕陽無限好，只是近黃昏。
2. 天意憐幽草，人間重晚情。
3. 嫦娥應悔偷靈藥，碧海青天夜夜心。
4. 春蠶到死絲方盡，蠟炬成灰淚始乾。
5. 身無彩鳳雙飛翼，心有靈犀一點通。
6. 相見時難別亦難，東風無力百花殘。

一個人的歷史

李商隱（西元812年-西元858年），字義山，號玉谿生，又號樊南生，原籍懷州河內（今河南沁陽、博愛），祖父時遷居鄭州滎陽（今鄭州滎陽市）。李商隱出身於下層官吏之家，三歲時隨父親至浙東孟簡幕府（紹興），約三年轉至浙西李俯幕（鎮江），在江南生活了六七年。十歲時父喪，躬奉板輿，返回滎陽，「四海無可歸之地，九族無可倚之親」，過著「傭書販舂」的生活（《祭裴氏姊文》）。少年李商隱勤奮攻讀，求師問道，以期將來能報效朝廷。然而唐帝國進入晚期，各種矛盾交織，已是殘陽夕照，無可挽回。

李商隱有理想，有抱負，希望自己能匡國理政，回轉天地。早期，李商隱因文才而深得牛黨要員令狐楚的賞識，後因李黨的王茂元愛其才而將女兒嫁給他，他因此而遭到牛黨的排斥。此後，李商隱便在牛李兩黨爭鬥的夾縫中求生存，輾轉於各藩鎮幕僚當幕僚，鬱鬱而不得志，後潦倒終身，抱負難酬，理想破滅。

李商隱與杜牧齊名，兩人並稱「小李杜」，又與李賀、李白合稱「三李」，與溫庭筠合稱為「溫李」。

一點賞析的建議

李詩廣納前人所長，承杜甫七律的沉鬱頓挫，融齊梁詩的華麗濃豔，學李賀詩的鬼異幻想，形成了他深情、纏綿、綺麗、精巧的風格。李詩還善於用典，借助恰當的歷史類比，使隱秘難言的意思得以表達。

在閱讀李商隱的詩歌時，應把握其總體的情感內涵，著重去感受那幽約的詩意和優美的語言。

《虯髯客傳》
唐 杜光庭

一句話點評

《虯髯客傳》或許可以說是中國武俠小說的鼻祖……歷史的背景而又不完全依照歷史；有男女青年的戀愛；男的是豪傑，而女的是美人。

——《俠客行》附錄

一口氣速度

《虯髯客傳》是一篇豪俠類的唐人傳奇，故事以隋末天下群雄爭霸為背景，牽引出三個名傳後世的英雄人物，即李靖、紅拂女與虯髯客之間的俠義故事，後人合稱三人為「風塵三俠」。《虯髯客傳》一直被後人尊為武俠小說的典範，金庸尊其為「武俠小說的鼻祖」，後世也有許多深受《虯髯客傳》影響而創作的作品，其影響力可見一斑。

《虯髯客傳》的故事講述了隋煬帝臨幸江都，司空楊素掌大權，生活奢侈糜爛。一天，布衣書生李靖獻策求見楊素，兩人相談無果。楊素府上有一名家妓張氏，手持紅拂，在李靖離去後查得李靖投宿的驛站，當夜就投奔李靖，共結連理，離開京師去太原。

一日，二人到一客棧投宿，一個滿臉虬髯的人闖入窺看紅拂女梳頭，紅拂女看出虬髯客的不凡，當機立斷與虬髯客結為兄妹，並且引丈夫李靖與虬髯客相識。李靖、虬髯客相見甚歡，並且相約在太原相見。

三人抵達太原後，李靖引虬髯客通過劉文靜見李世民。虬髯本有爭奪天下之志，見李世民神氣不凡，知不能匹敵，便放棄逐鹿中原的意圖，並再次約定李靖擇日相見。

李靖攜紅拂女至虬髯客府第，與虬髯客夫婦相見。虬髯客將全數家產贈與李靖以助李世民爭天下，自己則帶妻子離開。貞觀十年，李世民已是天下之主，李靖官至左僕射平章事，虬髯客則入扶餘國自立為王。

一段傑出的篇章

李靖回到旅館。那晚的五更剛過，忽然聽見輕聲叩門，李靖起來詢問。是一個紫衣戴帽的人，杖上掛著個包裹。李靖問：「誰？」答道：「我是楊家執紅拂的女子。」李靖於是請她進來。脫去紫衣摘去帽子，是一個十八、九歲的美麗女子。未施脂粉，身著花衣向前拜禮，李靖吃驚地還禮。女子說：「我侍奉楊素這麼久，看天下的人也多了，沒有比得上你的。兔絲、女蘿不能獨自生長，願意託身於喬木之上，所以跑來了。」李靖說：「楊司空在京師的權勢很重。怎麼辦？」紅拂女答：「他不過是垂死之人，不值得害怕。眾女子知道他成不了事，走的人多了。他追得也不厲害。考慮已很周詳了，希望你不要疑慮。」李靖問她的姓，答：「姓張。」問她排行，答：「最長。」

看她的肌膚、儀容舉止、脾氣性情，真是天仙一般。李靖意外獲得這樣一個女子，越高興也越害怕，瞬息間又十分憂慮不安，不停地窺視屋外是否有人追蹤而至。幾天裡，也聽到了追查尋訪紅拂女的消息，但沒有嚴厲追索的意思。於是紅拂女著男裝推門而出，乘馬和李靖一道回太原。

——《虯髯客傳》

一分鐘感悟

1. 作為別人的臣子而荒謬地妄想作亂的人，就是螳臂擋車罷了。
2. 帝王的興起，就會有一些輔佐他的人像有誠約一樣如期而至，就像虎嘯生風，龍吟雲中一樣，本來就不是偶然的。

一個人的歷史

杜光庭（西元850年-西元933年），字聖賓，號東瀛子，縉雲人，唐朝時著名的道士。曾追隨前蜀王建，賜號廣成先生。後主王衍時，為傳真天師，崇真館大學士。被譽為「傳真天師」、「山中宰相」。晚年辭官隱居四川青城山。一生著作頗多，有《道德真經廣聖義》、《道門科範大全集》、《廣成集》、《青城山記》、《武夷山記》、《西湖古跡事實》等。

一點賞析的建議

這篇傳奇中的三個主要人物紅拂女、李靖和虯髯，個性鮮明，都有俠義之氣，紅拂女的機智俏麗，李靖的沉著英俊，虯髯客的豪邁卓異，讓人讀後印象深刻。故事情節簡練明快，被視為武俠小說的楷模，也成為後世許多戲曲的題材。閱讀的著重點在小說人物形象的塑造。

《花間集》
五代 趙崇祚

一句話點評

近世倚聲填詞之祖。

——宋代文人

一口氣速讀

《花間集》是後蜀人趙崇祚編輯的一部詞集。集中搜錄晚唐至五代十八位元詞人的作品，共五百首，分十卷。十八位詞人除溫庭筠、皇甫松、和凝三位與蜀無涉外，其餘十五位皆活躍於五代十國的後蜀。或生於蜀中，或宦旅蜀中，他們是韋莊、薛昭蘊、牛嶠、張泌、毛文錫、顧敻、牛希濟、歐陽炯、孫光憲、魏承班、鹿虔扆、閻選、尹鶚、毛熙震、李珣。

其中溫庭筠、皇甫松為晚唐曲子詞作家，被列在卷首，表示西蜀詞派的源流所自。和凝是北漢宰相，以製麴著名，當時稱為「曲子相公」，其詞和溫庭筠風格相近。此外，從韋莊到李珣十五人，都是蜀中文人，為王氏或孟氏的文學侍從之臣。這批後蜀詞人刻意模仿溫庭筠豔麗香軟的詞風，以描繪閨中婦女日常生活情態為特點，互相唱和，形成了花間詞派。填詞風氣，在晚唐五代已十分普遍。唐代文人為避亂紛紛入蜀，填詞風氣也由中原帶入後蜀。唐末五代填詞風氣最盛、成就最高的地方首稱後蜀，次稱南唐。

《花間集》中溫詞濃豔華美，韋詞疏淡明秀，代表了《花間集》中的兩種風格。其它詞人的詞作，則多遵循溫、韋的餘風。它們的內容不外歌詠旅愁閨怨、合歡離恨，多局限於男女燕婉之私。但也有一部分作品，如鹿虔扆的《臨江仙》抒寫「暗傷亡國」之情，歐陽炯的《南鄉子》歌詠南方風土人情，較有現實意義。

宋人論及《花間集》，都讚揚其文字富豔精工，幾乎沒有人稱許其思想內容。到了清代，常州詞派的創始人張惠言卻以「比興」、「諷諭」的觀點釋溫庭筠、韋莊詞，認為它們表現了「賢人君子幽約怨悱不能自言之情」(《詞選序》)，恐未免流於穿鑿附會。

《花間集》是中國第一部詞集，花間派是中國第一個詞派。《花間集》內容上雖不無缺點，然而在詞史上卻是一塊里程碑，標誌著詞體已正式登上文壇，要分香於詩國了。

《花間集》集中而典型地反映了中國早期詞史上文人詞創作的主體取向、審美情趣、體貌風格和藝術成就，真實地體現了早期詞由民間狀態向文人創作轉換、發展過程的全貌。花間詞規範了「詞」的文學體裁和美學特徵，最終確立了「詞」的文學地位，並對宋元明清詞人的創作產生了深遠影響。

一段傑出的篇章

小山重疊金明滅，鬢雲欲度香腮雪。

懶起畫蛾眉，弄妝梳洗遲。

照花前後鏡，花面交相映。

新帖繡羅襦，雙雙金鷓鴣。

——溫庭筠〈菩薩蠻〉

傾國傾城恨有餘，幾多紅淚泣姑蘇，倚風凝睇雪肌膚。吳主山河空落日，越王宮殿半平蕪，藕花菱蔓滿重湖。

——薛紹蘊〈浣溪沙〉

一分鐘感悟

1. 夕陽芳草，千里萬里，雁聲無限起。
2. 千山紅樹萬山雲，把酒相看日以熏。
3. 斜暉脈脈水悠悠，腸斷白蘋洲。

一個人難忘的年代

五代十國時，前蜀王氏、後蜀孟氏割據蜀中，六十年間，沉湎於歌舞伎樂，曲子詞也因之盛行。《花間集》即為供歌伎伶人演唱的曲子詞選本。這一時期正處於興廢爭戰不斷、王朝更迭頻繁、暴君獨夫橫行、人民深受苦難的亂世，作者們以古觀今、借古諷今，抒發歷史興替、物是人非之感慨。

趙崇祚，字弘基。生平事蹟不詳。是中國歷史上第一部詞選集的編者。據歐陽炯《花間集序》，此集當成書於後蜀廣政三年（940年），其時趙崇祚為衛尉少卿。在一九〇〇年敦煌石室藏《雲謠集》發現之前，《花間集》被認為是最早的詞選集。

一點賞析的建議

《花間集》介於中國文學發展史上唐詩、宋詞兩大峰巔期的中間，對宋詞的繁榮及以後詞的發展有著重大影響，文學藝術上的價值、作用、貢獻和地位是不可忽視和否認的。就內容來講，除了戀情外，還有史事古跡、風物人情、邊塞舊事、山水花鳥等。讀者在閱讀時要注意領略這一特徵。

四

承前啟後的宋元時期

《樂府詩集》
北宋 郭茂倩

一句話點評

《樂府詩集》由兩漢之俚巷風謠，一變而為魏晉文人之詠懷詩，再變而為南朝兒女之相思曲，三變而為唐作者不入樂之諷刺樂府。

——蕭滌非

一口氣速讀

樂府詩集是繼《詩經．風》之後，一部總括中國古代樂府歌辭的著名詩歌總集，由宋代郭茂倩所編。現存一百卷，是現存收集樂府歌辭最完備的一部。主要輯錄漢魏到唐、五代的樂府歌辭兼及先秦至唐末的歌謠，共五千多首。它搜集廣泛，各類有總序，每曲都有題解。

「樂府」，本是掌管音樂的機關名稱，最早設立於漢武帝時，南北朝也有樂府機關。其具體任務是製作樂譜，收集歌詞和訓練音樂人才。歌詞的來源主要有兩種途徑，一是文人的專門創作，另一部分是從民間收集來的。後來，人們將樂府機關採集的詩篇稱為樂府，或稱樂府詩、樂府歌詞，於是樂府便由官府名稱變成了詩體名稱。

《樂府詩集》根據音樂性質的不同，將所收作品分為郊廟歌辭、燕射歌辭、鼓吹曲辭、橫吹曲辭、相和歌辭、清商曲辭、舞曲歌辭、琴曲歌辭、雜曲歌辭、近代曲辭、雜歌謠辭、新樂府辭等十二大類，下又各分若干小類。其中郊廟歌辭、燕射歌辭、鼓吹曲辭、舞曲歌辭多為宮廷祭祀、宴享朝會時所用樂章，屬於貴族文學，思想內容和藝術技巧都較少可取成分。而相和歌辭、雜曲歌辭、清商曲辭、雜歌謠辭等保存了不少民歌，最值得珍視。全書每一類均有總序，每一曲均有題解，對樂曲的起源、性質、演唱配器等均有詳盡說明。其中保存了不少久已失傳著作中的一些珍貴史料。

《樂府詩集》的重要貢獻是把歷代歌曲按其曲調收集分類，使許多作品得以彙編成書。這對樂府詩歌的整理和研究提供了很大的方便。漢代一些優秀民歌，如〈陌上桑〉、〈東門行〉、〈孔雀東南飛〉等，還有一些則散見於《藝文類聚》等類書及其它典籍中，經編者收集加以著錄。特別是古代一些民間謠諺，大抵散見各種史書和某些學術著作，均被《樂府詩集》所收錄。〈木蘭詩〉和〈孔雀東南飛〉被合稱為「樂府雙璧」。

一段傑出的篇章

有所思，乃在大海南。

何用問遺君？雙珠玳瑁簪，用玉紹繚之。

聞君有他心，拉雜摧燒之。

摧燒之，當風揚其灰。

從今以往，勿復相思，相思與君絕！

雞鳴狗吠，兄嫂當知之。妃呼狶！

秋風肅肅晨風颸，東方須臾高知之。

——〈有所思〉

上邪！我欲與君相知，長命無絕衰。

山無陵，江水為竭，冬雷震震，

夏雨雪，天地合，乃敢與君絕！

——〈上邪〉

一分鐘感悟

1. 江南可採蓮，蓮葉何田田。
2. 少壯不努力，老大徒傷悲。
3. 高樹多悲風，海水知天寒。
4. 青青河畔草，綿綿思遠道。
5. 白骨露於野，千里無雞鳴
6. 秋風蕭瑟天氣涼，草木搖落露為霜

一個難忘的年代

《樂府詩集》是成書較早、收集歷代各種樂府詩最為完備的一部重要總集，對文學史和音樂史的研究均有重要參考價值。各類樂曲在編次上，均為古辭居前，文人模仿作品居後，以此表明樂府古辭對文人的種種影響。現存版本有明末汲古閣刊本、清翻刻本、《四部叢刊》影印本和中華書局排印本等。

《樂府詩集》為郭茂倩編纂。郭茂倩，字德粲，鄆州須城（今山東東平）人。宋神宗元豐七年（1084）時為河南府法曹參軍。編有《樂府詩集》百卷傳世，因解題考究精細，因此為學術界所重視。

一點賞析的建議

讀者在閱讀時要注意《樂府詩集》中的作品或長於敘事，或重在抒情，或極盡誇張、鋪陳之能事，或短小而精悍。這些無不對唐及以後的詩詞創作產生深刻的影響。

《樂章集》
北宋 柳永

一句話點評

露花倒影柳三變，桂子飄香張久成。

——李清照

一口氣速讀

柳永是宋代著名詞人之一。他善於填詞而且精通音樂，工於音律，走歌妓樂工合作的道路，在兩宋文壇上影響甚大，他不僅留下了二百一十三首詞作，並在兩宋近一千五百位詞人中創作數量排名第十五位。他的詞在當時和後代都廣泛流傳：從教坊妓院到市井巷陌，從井水之處到宮廷禁中，從中原地域到邊疆境外，都能聽到柳詞不絕於耳的傳唱，影響極為深遠。柳永詞的詞史地位雖在歷代遭到不同程度的非議，但實際上其詞在後代人那裡又被不斷的學習和模仿。

柳詞從內容來說，大致可以分為三種類型，第一種主要表現男女愛情、離愁別恨的詞，這一類作品在主題上與北宋以至晚唐五代詞並沒有太大的差別。代表作是〈雨霖鈴〉。第二種是表現羈旅行役之苦的詞，柳永一生浪跡天涯，對羈旅行役有真實感受，所以，這類作品往往寫得真切動人，以〈八聲甘州〉為代表。第三種則是描寫城市風光，這類作品在以男女愛情、離愁別恨為主流的北宋詞壇上，別具一格，是為詞壇吹進的一股新風，〈望海潮〉是這一類的代表作。

柳詞從寫作風格上開看可以分為雅、俗兩派。所謂雅詞，主要是內容多寫男女戀情，但語言比較典雅，表現含蓄，表現了文人士大夫的審美情趣。如上文說到的〈雨霖鈴〉、〈八聲甘州〉、〈望海潮〉等。所謂俗詞，主要是語言通俗，內容多寫男女戀情，但為了迎合下層市民的審美趣味，往往寫得大膽直露，體現了下層市民的審美要求。如〈定風波〉詞中用了大量的俗語詞，而且表現的方式也比較直白坦率。

一段傑出的篇章

寒蟬淒切。對長亭晚，驟雨初歇。都門帳飲無緒，留戀處，蘭舟催發。執手相看淚眼，竟無語凝噎。念去去，千里煙波，暮靄沉沉楚天闊。

多情自古傷離別。更那堪、冷落清秋節。今宵酒醒何處，楊柳岸，曉風殘月。此去經年，應是良辰、好景虛設，便縱有，千種風情，更與何人說。

——〈雨霖鈴〉

佇倚危樓風細細，極春愁，黯黯生天際。草色煙光殘照裡，無言誰會憑欄意。

擬把疏狂圖一醉，對酒當歌，強樂還無味。衣帶漸寬終不悔，為伊消得人憔悴。

——〈蝶戀花〉

一分鐘感悟

1. 青春都一餉，忍把浮名，換了淺斟低唱。
2. 何須論得喪，才子詞人，自是白衣卿相。
3. 故人何在？煙水茫茫。
4. 歎年來蹤跡，何事苦淹留。
5. 惟有長江水，無語東流。 對月臨風，空恁無眠耿耿，暗想舊日牽情處。 相思不得長相聚。好天良夜，無端惹起，千愁萬緒。

一個人的歷史

柳永（約西元987年-西元1053年），字耆卿。本名三變，字景莊，後改名永，排行第七，又稱柳七。福建崇安（今福建省武夷山市）人。北宋文學家、詞人，婉約派最具代表性的人物。

柳永與張先齊名，並稱張柳。柳永的父親、叔叔、哥哥三接、三復都是進士，連兒子、侄子都是。柳永本人卻仕途坎坷，四十六歲時，參拜宰相晏殊時，因〈定風波〉中「綵線閒沾伴伊坐」一句被掃地出門。景祐元年（西元1034年），才賜進士出身，是時已是年近半百。曾授屯田員外郎，又稱柳屯田。因出言不遜，得罪朝官，被貶為平民，從此出入名妓花樓，自稱「奉旨填詞柳三變」。

一點賞析的建議

柳永的詞流傳甚廣，詞風婉轉，韻律優美，不同情境的詞都能描寫的繪聲繪色，勾勒出作者情深意切的心理。在閱讀時要分別出作者不同類型題材的詞，結合作者的生活環境讀懂詞人的內心世界。

《東坡樂府》
北宋 蘇軾

一句話點評

以宋詞比唐詩，則東坡似太白，歐、秦似摩詰，耆卿似樂天，方回、叔原則大曆十子之流。

——王國維

一口氣速度

縱觀蘇軾的三百餘首詞作，衝破了專寫男女戀情和離愁別緒的狹窄題材，具有廣闊的社會內容。在中國詞史上佔有特殊的地位。將北宋詩文革新運動的精神，擴大到詞的領域，掃除了晚唐五代以來的傳統詞風，開創了與婉約派並立的豪放詞派，對後代很有影響，擴大了詞的題材，豐富了詞的意境，衝破了詩莊詞媚的界限，對詞的革新和發展做出了重大貢獻。〈念奴嬌‧赤壁懷古〉、〈水調歌頭‧丙辰中秋〉等傳誦甚廣。

蘇軾的詞前期的作品主要反映了他的政治憂患，其詩詞作品在整體風格上是大漠長天揮灑自如，內容上則多指向仕宦人生以抒政治豪情。而後期作品則將重點放在了「寬廣的人生憂患」，以烏臺詩案為界，蘇軾的詩詞作品在創作上有繼承但也有明顯的差異。

自從烏臺詩案後，黃州貶謫生活，使他諷刺的意味，尖銳的筆鋒，情緒的憤怒，都已消失，取而代之的是一種空靈雋秀、和平靜謐、質樸清淡的詩風，越來越轉向大自然、轉向人生體悟。至於晚年謫居惠州、儋州，其淡泊曠達的心境就更加顯露出來，一承黃州時期作品的風格，收斂平生心，我運物自閒，以達豁然恬淡之境。在貫穿始終的「歸去」情結背後，人們看到詩人的筆觸由少年般的無端喟歎，漸漸轉向中年的無奈和老年的曠達——漸老漸熟，乃造平淡。

蘇軾早期崇尚儒家，後來則轉向道家、佛家，這也以他的仕途遭到貶謫後為分水嶺。前期，他有儒家所提倡的社會責任，他深切關注百姓疾苦。兩次遭貶之後， 他則更加崇尚道家文化並回歸到佛教中來，企圖在宗教上得到解脫。他深受佛家的「平常心是道」的啟發，在黃州、惠州、儋州等地過上了真正的農人的生活，並樂在其中。

一段傑出的篇章

大江東去，浪淘盡，千古風流人物。故壘西邊，人道是，三國周郎赤壁。亂石穿空，驚濤拍岸，卷起千堆雪。江山如畫，一時多少豪傑！

遙想公瑾當年，小喬初嫁了，雄姿英發。羽扇綸巾，談笑間，檣櫓灰飛煙滅。故國神遊，多情應笑我，早生華髮。人生如夢，一樽還酹江月。

——〈念奴嬌・赤壁懷古〉

十年生死兩茫茫。不思量，自難忘。千里孤墳，無處話淒涼。縱使相逢應不識，塵滿面，鬢如霜。

夜來幽夢忽還鄉。小軒窗，正梳妝。相顧無言，惟有淚千行。料得年年斷腸處，明月夜，短松岡。

——〈江城子〉

一分鐘感悟

1. 枝上柳綿吹又少，天涯何處無芳草！
2. 竹杖芒鞋輕勝馬，誰怕？一蓑煙雨任平生。
3. 萬事到頭都是夢，休休。明日黃花蝶也愁。
4. 回首向來蕭瑟處，歸去，也無風雨也無晴。
5. 人有悲歡離合，月有陰晴圓缺，此事古難全。但願人長久，千里共嬋娟。
6. 春色三分，二分塵土，一分流水。細看來，不是楊花，點點是離人淚。

一個人的歷史

蘇軾（西元1037年-西元1101年），字子瞻，又字和仲，號東坡居士，眉州眉山（今四川眉山市）人， 北宋大文豪。其詩，詞，賦，散文，均有極高成就，且擅長書法和繪畫，是中國文學藝術史上罕見的全才，也是中國數千年歷史上被公認為文學藝術造詣最傑出的大家之一。是唐宋八大家之一，與父蘇洵、弟蘇轍合稱「三蘇」；其散文與歐陽修並稱「歐蘇」；詩與黃庭堅並稱「蘇黃」，又與陸游並稱「蘇陸」；詞與辛棄疾並稱「蘇辛」；書法與黃庭堅、米芾、蔡襄並稱「宋四家」；其畫則開創了湖州畫派。

蘇軾開創了詞壇「豪放派」之風，改變了晚唐、五代以來綺靡的詞風。蘇軾的古文亦極著名，有「韓潮蘇海」之稱，與古文大師韓愈齊名，著有詩文《東坡七集》及詞集《東坡樂府》。

蘇軾宦海沉浮一生，在政治上他較偏向於舊黨，但也有改革弊政的要求，既反對新黨王安石比較急進的改革措施，也不同意司馬光盡廢新法，因而在新舊兩黨間均受排斥，仕途生涯十分坎坷。他在各地居官清正，為民興利除弊，政績頗多，口碑甚佳，杭州西湖的蘇堤就是實證。最終在北歸途中卒於常州，終年六十四歲，諡號「文忠」。

一點賞析的建議

蘇軾詞風可分三類，第一種是豪放風格類的，這是蘇軾刻意追求的理想風格，他以充沛、激昂甚至略帶悲涼的感情融入詞中。第二種是曠達風格類的，這是最能代表蘇軾思想和性格特點的詞風，表達了詩人希望隱居、避開亂世、期待和平的願望。第三種是婉約風格類的，蘇軾婉約詞的數量在其詞的總數中佔有絕對的數量，這些詞感情純正深婉，格調健康高遠，也是對傳統婉約詞的一種繼承和發展。讀者在閱讀時要充分體會作者的詞風格調和意境。

《資治通鑒》
北宋 司馬光

一句話點評

此天地間必不可無之書，亦學者必不可不讀之書。

——王鳴盛

一口氣速讀

《資治通鑒》，簡稱「通鑒」，是北宋司馬光主編的一部多卷本編年體史書，共二百九十四卷，三百萬字，歷時十九年完成。它以時間為綱，事件為目，從周威烈王二十三年（西元前403年）寫起，到五代的後周世宗顯德六年（西元959年）征淮南停筆，跨越十六個朝代，包括秦、漢、晉、隋、唐統一王朝和戰國七雄、魏蜀吳三國、五胡十六國、南北朝、五代十國等等其它政權，共一三六二年的逐年記載的詳細歷史。它是中國第一部編年體通史，在中國官修史書中佔有極重要的地位。

北宋時代，在中唐以來長期混戰之後，實現了國家統一，社會經濟得到了恢復和發展， 學術文化繁榮，同時，內政多弊，禦戎不力，「積貧積弱」的局勢影響著政局的穩定。所以，北宋是一個有生氣的時代，又是一個很苦悶的時代，既是個前進的時代，又是個軟弱的時代。當時，君主將相，志士仁人，平民百姓，多在考慮如何生活，尋找出路。於是，產生了有主張以「柔道」治天下，說祖宗之法不可變的；有立志改革，而實行變法的；有生活困苦，被逼鋌而走險，起義造反的。掌握文化知識的人們，特別是歷史學家，如歐陽修、司馬光等，往往面對現實而回顧歷史，企圖總結歷史經驗教訓，借鑒歷史，達到治國安邦的目的，更好地解決現實社會的矛盾。其中，司馬光主編《通鑒》的目的最突出，最具代表性。

《資治通鑒》書名的由來，是因為宋神宗認為該書「鑒於往事，有資於治道」，而欽賜此名的。由此可見，《資治通鑒》的得名，既是史家治史以資政自覺意識增強的表現，也是封建帝王利用史學為政治服務自覺意識增強的表現。

《資治通鑒》的內容以政治、軍事和民族關係為主，此外，還涉及到經濟、文化和歷史人物評價，目的是通過對事關國家盛衰、民族興亡的統治階級政策的描述，用以警示後人。

《資治通鑒》在通篇敘事之後，都有附論，共一百八十六篇。其中「臣光曰」有一百零二篇，其餘八十四篇是各家評論，其中裴子野的論佔了十篇，司馬遷的論只有一篇。以篇數看來，〈漢紀〉所佔篇幅最多，其次為〈唐紀〉。《資治通鑒》是中國古代著名的歷史著作，歷來為人們所重視和閱讀學習。

一段傑出的篇章

上問魏徵曰：「人主何為而明，何為而暗？」對曰：「兼聽則明，偏信則暗。昔堯清問下民，故有苗之惡得以上聞；舜明四目，達四聰，故共、鯀、驩兜不能蔽也。秦二世偏信趙高，以成望夷之禍；梁武帝偏信朱異，以取臺城之辱；隋煬帝偏信虞世基，以致彭城閣之變。是故人君兼聽廣納，則貴臣不得擁蔽，而下情得以上達也。」上曰：「善！」

——《資治通鑒．唐紀》

一分鐘感悟

1. 水可以載舟，亦可以覆舟，民猶水也，君猶舟也。
2. 千人之諾諾，不如一士之諤諤。
3. 丈夫為志，窮當益堅，老當益壯。
4. 知足不辱，知止不殆。
5. 丈夫一言許人，千金不易。
6. 才德全盡謂之「聖人」，才德兼亡謂之「愚人」，德勝才謂之「君子」，才勝德謂之「小人。凡取人之術，苟不得聖人，君子而與之，與其得小人，不若得愚人。

一個人的歷史

司馬光（西元1019年-西元1086年）字君實，號迂叟。生於宋真宗天禧三年，卒於宋哲宗元祐元年，享年六十八歲。陝州夏縣（現在屬山西省夏縣）涑水鄉人，出生於河南省光山縣，世稱涑水先生。司馬光是北宋政治家、文學家、史學家，歷仕仁宗、英宗、神宗、哲宗四朝。司馬光死後追贈太師、溫國公，諡文正，賜碑「忠清粹德」。

雖然司馬光為人溫良謙恭、剛正不阿，是傑出的思想家和教育家。但在政治上是標準的守舊派，政治生涯並不突出，幾度上書反對王安石變法。司馬光他認為刑法新建的國家使用輕典，混亂的國家使用重典，這是世輕世重，不是改變法律。所謂「治天下譬如居室，敝則修之，非大壞不更造也。」司馬光與王安石，就竭誠為國來說，二人是一致的，但在具體措施上，各有偏向。

一點賞析的建議

讀者在閱讀《資治通鑒》時，可先閱讀其著名篇章，注意體會書中事實的「資治」作用，因此，司馬光對歷史人物、事件的評論尤其值得我們注意。

《稼軒詞》
南宋 辛棄疾

一句話點評

稼軒詞慷慨縱橫，有不可一世之慨，於依聲家為變調，而異軍突起，能於剪紅刻翠之外，屹然別立一宗，迄今不廢。

——《四庫全書總目》

一口氣速讀

辛棄疾是南宋的著名詞人，現存詞六百二十六首，是兩宋現存詞最多的作家。強烈的愛國主義思想和戰鬥精神是辛詞的基本思想內容。

宋詞在蘇軾手中開創出一種豪放闊大、高曠開朗的風格，卻一直沒有得到強有力的繼承發展。直到辛棄疾出現在詞壇上，他不僅沿續了蘇詞的方向，寫出許多具有雄放闊大的氣勢的作品，而且以其蔑視一切陳規的豪傑氣概和豐富的學養、過人的才華，在詞的領域中進行極富於個人特色的創造，在推進蘇詞風格的同時也突破了蘇詞的範圍，開拓了詞的更為廣闊的天地。

辛棄疾在詞史上的一個重大貢獻，就在於內容的擴大，題材的拓寬。他現存的六百多首詞作，寫政治，寫哲理，寫朋友之情、戀人之情，寫田園風光、民俗人情，寫日常生活、讀書感受，可以說，凡當時能寫入其它任何文學樣式的東西，他都寫入詞中，範圍比蘇詞還要廣泛得多。

而隨著內容、題材的變化和感情基調的變化，辛詞的藝術風格也有各種變化。雖說他的詞主要以雄偉奔放、慷慨悲壯為主。但寫起傳統的婉媚風格的詞，卻也熱情洋溢，十分得心應手。

辛棄疾的詞多抒寫力圖恢復國家統一的愛國熱情，傾訴壯志難酬的悲憤，對南宋上層統治集團的屈辱投降進行揭露和批判。也有不少吟詠祖國河山的作品，部分作品也流露出抱負不能實現而產生的消極情緒。

元大德年間編有《稼軒長短句》十二卷存世，是辛詞中較完備版本。他的詞被認為是豪放詞派的代表人物，被譽為「詞中之龍」。

辛棄疾在文學上與蘇軾齊名，號稱「蘇辛」，與李清照並稱「濟南二安」，濟南由此也成為當時全國的文學中心。

一段傑出的篇章

醉裡挑燈看劍，夢回吹角連營。八百里分麾下炙，五十弦翻塞外聲。沙場秋點兵。

馬作的盧飛快，弓如霹靂弦驚。了卻君王天下事，贏得生前身後名。可憐白發生！

——〈破陣子·為陳同甫賦壯詞以寄之〉

千古江山，英雄無覓，孫仲謀處。舞榭歌臺，風流總被，雨打風吹去。斜陽草樹，尋常巷陌，人道寄奴曾住。想當年，金戈鐵馬，氣吞萬里如虎。

元嘉草草，封狼居胥，贏得倉皇北顧。四十三年，望中猶記，烽火揚州路。可堪回首，佛狸祠下，一片神鴉社鼓。憑誰問：廉頗老矣，尚能飯否？

——〈永遇樂·京口北固亭懷古〉

一分鐘感悟

1. 青山遮不住，畢竟東流去。
2. 滿眼風光北固樓。千古興亡多少事？
3. 我見青山多嫵媚，料青山，見我應如是。
4. 眾裡尋他千百度，驀然回首，那人卻在，燈火闌珊處。
5. 少年不識愁滋味，愛上層樓，愛上層樓，為賦新詞強說愁。
6. 萬事雲煙忽過，百年蒲柳先衰。而今何事最相宜？宜醉宜遊宜睡。

一個人的歷史

辛棄疾（西元1140年-西元1207年），字幼安，號稼軒，歷城（今中國山東濟南歷城區）人。生於金國，少年抗金歸宋，曾任江西安撫使、福建安撫使等職。追贈少師，謚忠敏。他是中國歷史上偉大的豪放派詞人、愛國者、軍事家和政治家。

辛棄疾從小生長在當時金朝的土地上。其祖父辛贊，是金朝亳州譙縣（今安徽亳縣）的縣令，卻經常灌輸他抗金復宋的教育。辛棄疾十四歲、十七歲時兩次參加金朝燕京的科舉考試，不中。在二十歲祖父去世後，率領兩千多人起兵反金，投靠耿京為首的農民軍，為其掌書記。耿京被張安國殺害後，他手持一把名劍，名為龍泉，邀集五十名死士闖進五萬士兵的張軍營中，生擒張安國，並策動上萬士兵一同投奔南宋，押解張安國回到建康斬首示眾。南宋乾道六年被召為司農寺主簿。

辛棄疾在任職期間，採取積極措施，招集流亡，訓練軍隊，獎勵耕戰，打擊貪污豪強，注意安定民生。一生堅決主張抗金。在美芹十論、九議等奏疏中，具體分析了當時的政治軍事形勢，對誇大金兵力量、鼓吹妥協投降的謬論，作了有力的駁斥；要求加強作戰準備，鼓勵士氣，以圖恢復中原。他所提出的抗金建議，均未被採納，並遭到主和派的打擊，曾長期落職閒居江西上饒、鉛山一帶。晚年一度被韓侂冑起用，但仍然得不到信任，最後含恨辭世。據說他臨終時還大呼「殺賊！殺賊！」。

一點賞析的建議

辛棄疾是宋詞豪放派的主將，初讀辛棄疾的詞，僅能瞭解其表面之情思，玩味既深，即能領會其裡面的另一種境界，另一種光輝，雄渾厚重的感覺油然而生。因此讀者一定要記住他的知名作品。

#《陸游詩稿》

南宋 陸游

一句話點評

詩界千年靡靡風，兵魂銷盡國魂空。集中十九從軍樂，亙古男兒一放翁。

——梁啟超

一口氣速讀

陸游一生力主北伐，雖然屢受主和派排擠打擊，但是他的愛國之情至死不渝，他與尤袤、楊萬里、范成大並稱「南宋四大詩人」。

陸游一生創作詩歌很多，至老仍然創作不懈，今存九千多首，是現留詩作最多的詩人。內容極為豐富，有抒發政治抱負的，有反映人民疾苦的，有批判當時統治集團的屈辱投降的，他的詩風格雄渾豪放，表現出渴望恢復國家統一的強烈的愛國熱情。

陸游的詩大致可以分成三個時期，第一時期為少年到中年（46歲），這一時期最長，但留存作品最少，約兩百首，大概是因為陸游將自己早期「但欲工藻繪」的作品刪除淘汰的關係。第二時期為入蜀以 到他六十四歲罷官東歸，前後近二十年，這一時期陸游創作詩詞約兩千四百多首。此時期因陸游深入軍旅生活，詩風變為豪放壯闊，愛國思想也更加提升。這個時期詩歌創作的成熟和豐富，奠定了他作為一代文宗的崇高地位。第三時期為蟄居家鄉到逝世，現存詩六千五百首。此時期的詩中表現了一種清曠淡遠的田園風味，並不時流露著蒼涼的人生感慨。「詩到無人愛處工」，可算是道出了他此時的心情和所嚮往的藝術境界。另外，在這一時期的詩中，也表現出趨向質樸而沉實的創作風格。

在陸游三個時期的詩中，始終貫穿著熾熱的愛國主義精神，中年入蜀以後表現尤為明顯，不僅在同時代的詩人中顯得很突出，在中國文學史上也是罕見的。陸游的詩可謂各體兼備，無論是古體、律詩、絕句都有出色之作，其中尤以七律寫得又多又好。在這方面，陸游繼承了前人的經驗，同時又富有自己的創作，所以有人稱他和杜甫、李商隱完成七律創作上的「三變」，他的七律當時無與倫比。

在陸游的七律中，名章俊句層見迭出，每為人所傳誦，如「江聲不盡英雄恨，天意無私草木秋」、「萬里關河孤枕夢，五更風雨四山秋」等，這些佳作佳句，或壯闊雄渾，或清新如畫，不僅對仗工穩，而且生動自然。除七律外，陸游在詩歌創作上的成就當屬絕句。陸游的詩雖然呈現著多彩多姿的風格，但從總的創作傾向看，還是以現實主義為主。他繼承了屈原等前代詩人憂國憂民的愛國傳統，並立足於自己的時代而作出了出色的作品。

一段傑出的篇章

早歲那知世事艱，中原北望氣如山。

樓船夜雪瓜洲渡，鐵馬秋風大散關。

塞上長城空自許，鏡中衰鬢已先斑。

出師一表真名世，千載誰堪伯仲間！

——〈書憤〉

死去原知萬事空，但悲不見九州同。

王師北定中原日，家祭毋忘告乃翁。

——〈示兒〉

一分鐘感悟

1. 小樓一夜聽風雨，深巷明朝賣杏花。
2. 山重水複疑無路，柳暗花明又一村。
3. 傷心橋下春波綠，曾是驚鴻照影來。
4. 夜闌臥聽風吹雨，鐵馬冰河入夢來。
5. 紙上得來終覺淺，絕知此事要躬行。
6. 東風惡，歡情薄，一懷愁緒，幾年離索，錯！錯！錯！

一個人的歷史

陸游（西元1125年-1210年），南宋詩人、詞人。字務觀，號放翁，越州山陰（今浙江紹興）人。

陸游出身於一個由「貧居苦學」而仕進的世宦家庭。封建家庭雖帶給陸游良好的文化薰陶，尤其是愛國教育，但也帶來婚姻上的不幸。他二十歲時與唐婉結婚，夫妻感情甚篤，可是其母卻不喜歡唐氏，硬逼他們夫妻離散，唐氏改嫁趙士程，陸游亦另娶王氏為妻。離婚後陸游非常傷痛，紹興二十五年（西元1155年）三十一歲遊經沈園時，偶見唐琬夫婦，陸游在沈園牆上寫了〈釵頭鳳〉詞以寄深情，此後屢次賦詩懷念，直至七十五歲時還寫了有名的愛情詩〈沈園〉。

陸游二十歲便開始作詩文，學習劍術，並鑽研兵書。二十九歲赴臨安參加省試，名列第一。次年參加禮部考試，因名次居於主和派權臣秦檜的孫子之前，又因不忘國恥「喜論恢復」，要求「賦之事宜先富室，徵稅事宜覆大商」，最終被秦檜所黜。

孝宗即位，賜陸游進士出身，曾任鎮江隆興通判。乾道六年（西元1170年）入蜀，任夔州通判。乾道八年，到四川宣撫使王炎幕府，投身軍旅生活。後來官爵升至寶章閣待制。

陸游在政治上，主張堅決抗戰，充實軍備，要求「賦之事宜先富室，徵稅事宜覆大商」，一直受到投降集團的壓制。晚年退居家鄉，但收復中原的信念始終不渝。最後於在嘉定二年（西元1210年）抱著未見國土收復的遺恨與世長辭。

一點賞析的建議

讀者在閱讀陸游的詩時，一定要聯繫詩人生活的環境、時代背景，才能深刻體會詩中流露的真情，體會詩歌中所表現出來的愛國情懷。

《漱玉詞》
南宋 李清照

一句話點評

李清照是宋代最偉大的一位女詩人，也是中國文學史上最偉大的一位女詩人，……像她那樣的詞，在意境一方面，在風格一方面，都可以說是前無古人後無來者。

——鄭振鐸

一口氣速讀

李清照是南宋著名詞人，《漱玉集》是由濟南李清照故居前的漱玉泉得名，是濟南七十二名泉之一。李清照能詩會文，更擅長作詞。她的〈漱玉詞〉令人驚歎，她不但有高深的文學修養，而且有大膽的創新精神。

她的創作內容因她在北宋和南宋兩個不同時期的生活變化而呈現出前後兩種不同的特點。她前期的詞中，反映了她的閨中生活和思想感情，題材集中於寫自然風光和離別相思。如〈如夢令〉二首，活潑秀麗，語新意雋。〈一翦梅〉、〈醉花陰〉等詞，通過描繪孤獨的生活和抒發相思之情，表達了對丈夫的深厚感情，宛轉曲折，清俊疏朗。〈蝶戀花〉、〈晚止昌樂館寄姊妹〉寫對女伴們的留戀，感情也極其真摯。她的詞雖多是描寫寂寞的生活，抒發憂鬱的感情，但從中往往可以看到她對大自然的熱愛，也坦率地表露出她對美好愛情生活的追求。

李清照南渡後的詞則主要抒發傷懷念舊和懷鄉悼亡的情感，表達了自己在孤獨生活中的哀愁和惆悵。

國破家亡後政治上的風險和個人生活的種種悲慘遭遇，使她的精神很痛苦，因而她的詞從早年的清麗、明快轉向了淒涼、低沉之音。在流離生活中她常常思念中原故鄉，如〈菩薩蠻〉寫的「故鄉何處是，忘了除非醉」，〈蝶戀花〉寫的「空夢長安，認取長安道」，都流露出她對失陷了的北方的深切懷戀。她更留戀已往的生活，如著名的慢詞〈永遇樂〉，回憶「中州盛日」的京洛舊事，都將過去的美好生活和今日的淒涼憔悴作對比，寄託了思念故國之情。〈武陵春〉通過寫「物是人非事事休」的感慨，〈聲聲慢〉通過寫「尋尋覓覓，冷冷清清，淒淒慘慘戚戚」的處境，運用疊詞，表達了自己難以剋制、無法形容的哀愁。又如〈清平樂〉中「今年海角天涯，蕭蕭兩鬢生華」的悲傷，她的這部分詞作正是對那個時代的苦難和個人不幸命運的藝術概括。

李清照詞的風格以婉約為主，屹然為一大宗，人稱「婉約詞宗」。沈謙《填詞雜說》將李清照與李後主並提說：「男中李後主，女中李易安，極是當行本色。」

一段傑出的篇章

薄霧濃雲愁永晝，瑞腦消金獸。佳節又重陽，玉枕紗廚，半夜涼初透。

東籬把酒黃昏後，有暗香盈袖。莫道不銷魂，簾卷西風，人比黃花瘦。

——〈醉花陰．薄霧濃雲愁永晝〉

尋尋覓覓，冷冷清清，淒淒慘慘戚戚。乍暖還寒時候，最難將息。三杯兩盞淡酒，怎敵他晚來風急！雁過也，正傷心，卻是舊時相識。

滿地黃花堆積，憔悴損，如今有誰堪摘？守著窗兒，獨自怎生得黑！梧桐更兼細雨，到黃昏，點點滴滴。這次第，怎一個愁字了得！

——〈聲聲慢．尋尋覓覓〉

一分鐘感悟

1. 只恐雙溪舴艋舟，載不動許多愁。
2. 一枝折得，人間天上，沒個人堪寄。
3. 倚遍欄干，只是無情緒！人何處？連天衰草，望斷歸來路。
4. 寂寞深閨，柔腸一寸愁千縷。惜春春去，幾點催花雨。
5. 花自飄零水自流。一種相思，兩處閒愁。此情無計可消除。才下眉頭，卻上心頭。
6. 昨夜雨疏風驟，濃睡不消殘酒。試問捲簾人，卻道海棠依舊。知否？知否？應是綠肥紅瘦。

一個人的歷史

李清照（西元1084年-西元1156年），齊州章丘（今山東濟南章丘）明水鎮人，自號易安居士，宋代婉約詞派代表人物，中國歷史上最著名的女詞人。李清照早期生活優裕，與夫趙明誠共同致力於書畫金石的搜集整理。金兵入據中原時，流寓南方，境遇孤苦。

李清照的藝術成就贏得了後世文人的高度讚揚，後人認為她的詞「不徒俯視巾幗，直欲壓倒鬚眉」，她被稱為「宋代最偉大的一位女詞人，也是中國文學史上最偉大的一位女詞人」，有「千古第一才女」之美譽。李清照有《易安居士文集》、《易安詞》等著作。

一點賞析的建議

李清照的詞在寫物言情中所體現出的真實美，讓人印象深刻，她在自己生活的基礎上去加工醞釀，不管是寫友情的、離情的，還是悼亡的、懷舊的都寫得纏綿悱惻，悲婉動人。她的詞善於借助景物和場景來抒發心中的情感，筆下的景物場景往往是帶了感情色彩的，通過景物場景再現了作者的心境。同時要體會作者南渡前後兩個不同時期作品的情境，以及語言表達上的音韻之美。

《唐宋傳奇》

唐、宋　李朝威、白行簡等

一句話點評

《唐宋傳奇》是唐代文學大花園裡的奇葩，是中國小說史長河中最美麗的流段。

——魯迅

一口氣速讀

唐宋傳奇，即唐宋時期的小說。小說被稱為「傳奇」，始於晚唐裴鉶《傳奇》一書，宋以後人們逐漸統稱為唐人小說。

中國小說發展至唐代，已步入一個新階段。魯迅先生曰：「傳奇者流，源出於志怪，然施之藻繪，擴其波瀾，故所成就乃特異。」（《中國小說史略》）又曰：「小說亦如詩，至唐代而一變，雖尚不離於搜奇記逸，然敘述宛轉，文辭華豔，與六朝之粗陳梗概者較，演進之跡甚明，而尤顯者乃在是時則始有意為小說。」可見，唐代傳奇乃文人有意為之，且較為成熟的小說作品。雖「源出於志怪」，但無論是形式和內容、人物刻畫和創作手法、現實意義和美學價值，皆大大超過了六朝志怪小說。其作品如《柳毅傳》、《長恨傳》、《鶯鶯傳》、《楊太真外傳》等，廣為後代話本小說、戲曲所選取。霍小玉、李娃、崔鶯鶯等眾多傳奇人物，成為後代戲曲的主要角色，為廣大民眾所喜愛。

《唐宋傳奇》多講唐代時事，人物也多以唐人為主，敢於直接表現唐代生活。而宋人之作則多講古人古事，很少涉及宋代的社會問題，像《李師師外傳》這樣的作品，是非常少見的。這是唐、宋傳奇大不相同之處。此外，唐人傳奇主要由所寫故事及人物命運來表達作者的思想，篇末有些議論，也多屬情節之中，而不是說教。

其中唐傳奇名篇迭出，成就顯著，是中國文言小說發展的高峰。宋傳奇則由於白話本（話本）的崛起，成就遠不及唐。唐傳奇的題材多取自現實生活，涉及愛情、歷史、政治、豪俠、夢幻、神仙等諸多方面。在藝術上也取得了相當顯著的成就。

唐傳奇的藝術特點一是作家對各種傳說見聞除藝術加工外，還在其基礎上進行杜撰，大量運用虛構想像等藝術手怯，在真假虛幻之間，創造出文采斐然的作品。第二個特點是篇幅不長，但在藝術構恩上大多奇異新穎、富於變化，使情節曲折委婉、引人人勝。如《李娃傳》、《鶯鶯傳》、《柳毅傳》幾篇描寫愛情的佳作都善於選擇一個有典型意義的事件，展開矛盾衝突，但其構思方式和情節結構卻各不相同、各具特色。第三個特點是作者善於運用細節描寫、對比、襯托、白描等藝術手怯，往往三言兩語即生動地摹寫出人物的特徵。但是，唐傳奇最大的藝術成就、最為突出的藝術特點還在於塑造了眾多光彩照人的人物形象。如《柳毅傳》中，豪俠剛烈的柳毅、溫柔多情而又勇於追求自由愛情的尤女、勇猛暴烈而又知錯即改的錢塘君，以及忠厚仁義、疾惡如仇的洞庭君，無不形神兼具、栩栩如生。

《唐宋傳奇》作為文學遺產，她滋潤著後世小說、戲曲等多種文學的創作，是中國文學的驕傲。

一段傑出的篇章

（鄭）次命女：「出拜爾兄，爾兄活爾。」久之，辭疾。鄭怒曰；「張兄保爾之命。不然，爾且擄矣。能復遠嫌乎？」久之，乃至。常服婢容，不加新飾，垂鬟接黛。雙臉俏紅而已。顏色豔異，光輝動人。張驚，為之禮。因坐鄭旁，以鄭之抑而見也，凝睇怨絕，若不勝其體者。問其年紀。鄭曰：「今天子甲子歲之七月，終今貞元庚辰，生年十七矣。」張生稍以詞導之，不對。終席而罷。張自是惑之，願致其情，無由得也。

——《鶯鶯傳》片段

一分鐘感悟

1. 斜月晶瑩，幽輝半床。
2. 明眸皓腕，舉步豔冶。
3. 但覺一室之中，若瓊林玉樹，互相照耀，轉盼精彩射人。

一個難忘的年代

傳奇是唐代興起的用文言寫作的短篇小說，作者大多以記、傳做為篇名，內容多為傳奇異事。現今存的傳奇，大多收在宋初李昉等編輯的《太平廣記》裡，《文苑英華》、《太平御覽》、《全唐文》等總集類書中也收錄了一部分。

一點賞析的建議

唐宋傳奇是中國小說的成熟期，文章中的故事情節曲折委婉，人物形象生動傳神，敘事明快，辭采秀逸，具有很高的藝術成就。讀者在閱讀的時候，要細心體會。

《西廂記》
元 王實甫

一句話點評

《西廂記》是有永恆而且普遍生命力的偉大藝術品。

——郭沫若

一口氣速讀

《西廂記》可謂是家喻戶曉的一部劇作，在元代就被譽為：「新雜劇，舊傳奇，《西廂記》天下奪魁。」她誕生七百年來，被全國多個劇種演唱至今，久演不衰。

西廂記的故事題材最早來自唐代詩人元稹所寫的傳奇《會真記》（又名《鶯鶯傳》），描寫他自己「以張生自寓，述其親歷之境」。講述他在「有僧舍曰普救寺」中，和一美麗女子名「鶯鶯」邂逅，但「始亂之，終棄之」，認為自己「善補過」，「智者不為，為之者不惑」。

元代時王實甫根據這個故事改編成多人演出的戲劇劇本《西廂記》，使故事情節更加緊湊，並融合了古典詩詞，文學性大大提高，但將結尾改成老夫人妥協，答應其婚事，大團圓結局。這部劇本作者說法不一，有人說是關漢卿所作，也有人說是關作王續，或王作關續，王作無名氏續，但認為是王實甫所作的說法比較公認。

《西廂記》的故事梗概是這樣的：在山西普救寺借宿的書生張生（字君瑞），偶遇扶柩回鄉在寺中西廂借住的原崔相國的女兒崔鶯鶯，由於互相吟詩而產生愛慕。叛將孫飛虎帶手下慕名圍寺，要強搶崔鶯鶯，三日之內若不交出鶯鶯，就焚寺，僧俗不留一個。鶯鶯的母親老夫人鄭氏宣稱誰能救他女兒就將女兒許配他，張生向他一位故舊「白馬將軍」蒲州杜太守寫了一封求救信，由一位僧人（惠明）突出包圍送出，杜太守發兵解圍。之後，老夫人因門第不當悔婚，只是贈金並讓鶯鶯拜張生為義兄以謝搭救。張生在悲慟之下患病，鶯鶯也大為傷痛，後來在鶯鶯的丫鬟紅娘的幫助下，兩人暗通書信，並最終成功幽會。最後私情被老夫人發現，欲責罰二人，但由於紅娘據理力爭，無可奈何之下，老夫人命令張生上京趕考，如能蟾宮折桂成為狀元便真的把鶯鶯許配與他，於是張生進京赴試，考中並回來迎娶鶯鶯，有情人終成眷屬。

《西廂記》劇本完成後，迅速流行，幾乎中國所有劇種都以其為原本上演過這部戲，以後的許多著作都提過這部劇本，《紅樓夢》中的主人公賈寶玉和林黛玉都引用過這部劇本中的原詞「銀樣鑞槍頭」，「若共你多情小姐同鴛帳，怎捨得疊被鋪床」等，但都表現出是市間流傳，大家公子不允許讀的態度。

《西廂記》中許多人物都是民間耳熟能詳的，「紅娘」更成為漢語語言中「媒人」的代名詞，甚至成功的婚戀中介都被稱為「紅娘」。以後有許多故事和劇本受其影響，開始表現基於愛情，衝破門當戶對的封建禮教觀念的美滿婚姻或悲劇，如《梁山伯與祝英臺》、《牛郎織女》、《天仙配》等。《西廂記》可以說是首開先河，在世界上是第一部表現純愛情的長篇作品，藝術成就很高。

一段傑出的篇章

鶯鶯的母親逼張生進京趕考，張生和鶯鶯分別後，路上住在旅館裡，夜裡做了一個夢，夢見鶯鶯追他來了。鶯鶯說道：「自從郎君走後，俺飯也吃不下，覺也睡不著，牽腸掛肚恩愛絕，簡直不想活！橫下一條心，把那文君學。不怕關山險，不顧道路賒。瞞過夫人，避開侍妾，走向那荒郊曠野。繡鞋兒沾滿泥，嫩腳兒棘刺破。哪管它瀟瀟暮雨催寒蛩，哪管它冷冷曉風吹殘月。追上郎君，勸郎君，一不考狀元，二不爭豪傑，三不去朝中當相國。俺不求榮華富貴多驕奢，但求山林農家樂。日落息，日出作，要吃糧食將田耕，要飲水來把井鑿。草橋邊當個小酒家，你賣酒來我燒火。強似那，爭紗帽，搶朝靴，文兒揣摩著上司意兒寫，話兒猜著上司心兒說。好好好是是是，唯唯諾諾。肚裡罵你個忘八貨，口上說你是救命佛。明日要送你下油鍋，今日還喊你是親爹。哪個官不吃昧心飯，哪個官不是兩手血？幾個官不是唾沫裡淹，幾個官有好結果？」張生這裡淚滂沱，你真是個有識有見女俊傑。功名兒是個釣魚餌，俸祿兒是陷馬穴……

——《西廂記》

一分鐘感悟

1. 碧雲天，黃花地，西風緊，北雁南飛。曉來誰染霜林醉，總是離人淚。

2. 圍山色中，一鞭殘照裡。遍人間煩惱填胸臆，量這些大小車兒如何載得起待月西廂下，迎風戶半開。拂牆花影動，疑是玉人來。

3. 我明日透骨髓相思病纏，我當她臨去秋波那一轉！我便是鐵石人，也意惹情牽。

一個人的歷史

王實甫，名德信，大都（今北京市）人。著有雜劇十四種，現存《西廂記》、《麗春堂》、《破窯記》三種。《破窯記》寫劉月娥和呂蒙正悲歡離合的故事，有人懷疑不是王實甫的手筆。另有《販茶船》、《芙蓉亭》二種，各傳有曲文一折。王實甫還有少量散曲流傳：有小令一首，套曲三種（其中有一殘套），散見於《中原音韻》、《雍熙樂府》、《北宮詞紀》和《九宮大成》等書中。

一點賞析的建議

《西廂記》曲辭優美、人物形象生動。若與關劇結合，會更能感受到這一名劇在舞臺上的魅力很和活力。

《竇娥冤》
元 關漢卿

一句話點評

《竇娥冤》即列之於世界大悲劇中亦無愧色也。

——王國維

一口氣速讀

《竇娥冤》全稱《感天動地竇娥冤》，是元朝關漢卿的雜劇代表作。元雜劇是用北方的曲調演唱的一種戲曲形式，金末元初產生於中國北方，是在金院本基礎上以及諸宮調的影響下發展起來的。作為一種新型的完整的戲劇形式，元雜劇有其自身的特點和嚴格的體制，形成了歌唱、說白、舞蹈等有機結合的戲曲藝術形式，並且產生了韻文和散文結合的、結構完整的文學劇本。

《竇娥冤》是元雜劇的典型代表，悲劇劇情取材自「東海孝婦」的民間故事。後人常以故事中的「六月飛霜」比喻冤情。《竇娥冤》劇本一共四折、一楔子。

楔子：女主角竇端雲自小因為父親竇天章無錢還債，被送到蔡家當兒媳婦（即童養媳），改名竇娥。

第一折：婚後不到兩年，竇娥丈夫去世；竇娥與蔡婆相依為命。蔡婆向賽盧醫討債，不成功之餘反而更差點被勒死，恰好獲張驢兒兩父子所救。不料張驢兒是個流氓，趁機搬進蔡家後，威迫婆媳與他們父子成親，竇娥嚴辭拒絕。

第二折：蔡婆想吃羊肚湯，張驢兒想藉毒死竇娥婆婆而霸佔竇娥，不料反而被父親誤吃、毒死了父親。張驢兒於是誣告竇娥殺人之罪。太守桃杌嚴刑逼供，竇娥不忍心婆婆連同受罪，便含冤招認藥死公公，被判斬刑。

第三折：竇娥被押赴刑場。臨刑前，竇娥為表明自己冤屈，指天立誓，死後將血濺白練而血不沾地、六月飛雪三尺掩其屍、楚州大旱三年，結果全部應驗。

第四折：三年後，竇娥的冤魂向已經擔任廉訪使的父親控訴，案情重審，將賽盧醫發配充軍、昏官桃杌革職永不敘用，張驢兒斬首，竇娥冤情得以昭彰。最後竇娥的冤魂希望父親竇天章能夠將親家蔡婆婆接到住所，代替竇娥盡孝道，竇父應允。

一段傑出的篇章

（正旦雲）

竇娥告監斬大人，有一事肯依竇娥，便死而無怨。

（監斬官雲）

你有什麼事？你說。

（正旦雲）

要一領淨席，等我竇娥站立，又要丈二白練，掛在旗槍上。若是我竇娥委實冤枉，刀過處頭落，一腔熱血休半點兒沾在地下，都飛在白練上。

（監斬官雲）

這個就依你，打甚麼要緊。

（劊子做取席科，站科，又取白練掛旗上科）

（正旦唱）

【耍孩兒】

不是我竇娥發下這等無頭願，委實的冤情不淺。若沒些兒靈聖與世人傳，也不見得湛湛青天。我不要半星熱血紅塵灑，都只在八尺旗槍素練懸。等他四下裡皆瞧見，這就是咱萇弘化碧，望帝啼鵑。

（劊子雲）

你還有甚的說話，此時不對監斬大人說，幾時說那？

（正旦再跪科，雲）

大人，如今是三伏天道，若竇娥委實冤枉，身死之後，天降三尺瑞雪，遮掩了竇娥屍首。

（監斬官雲）

這等三伏天道，你便有衝天的怨氣，也召不得一片雪來，可不胡說！

（正旦唱）

【二煞】

你道是暑氣暄，不是那下雪天；豈不聞飛霜六月因鄒衍？若果有一腔怨氣噴如火，定要感得六出冰花滾似錦，免著我屍骸現；要什麼素車白馬，斷送出古陌荒阡？

（正旦再跪科，雲）

大人，我竇娥死的委實冤枉，從今以後，著這楚州亢旱三年。

（監斬官雲）

打嘴！那有這等說話！

（正旦唱）

【一煞】

你道是天公不可期，人心不可憐，不知皇天也肯從人願。做甚麼三年不見甘霖降？也只為東海曾經孝婦冤。如今輪到你山陽縣。這都是官吏每無心正法，使百姓有口難言。

（劊子做磨旗科，雲）

怎麼這一會兒天色陰了也？

（內做風科，劊子雲）

好冷風也！

（正旦唱）

【煞尾】浮云為我陰，悲風為我旋，三樁兒誓願明題遍。

（做哭科，雲）

婆婆也，直等待雪飛六月，亢旱三年呵，

（唱）

那其間才把你個屈死的冤魂這竇娥顯。

（劊子做開刀，正旦倒科）

（監斬官驚雲）

呀，真個下雪了，有這等異事！

（劊子雲）

我也道平日殺人，滿地都是鮮血，這個竇娥的血，都飛在那丈二白練上，並無半點落地，委實奇怪。

（監斬官雲）

這死罪必有冤枉，早兩樁兒應驗了，不知亢旱三年的說話，准也不准？且看後來如何。左右，也不必等待雪晴，便與我抬他屍首，還了那蔡婆婆去罷。

（眾應科，抬屍下）

——《竇娥冤》

一分鐘感悟

1. 花有重開日，人無再少年。不須長富貴，安樂是神仙。
2. 天若是知我情由，怕不待和天瘦。
3. 地久天長難過遣，舊愁新悵幾時休？
4. 為善的受貧窮更命短，造惡的享富貴又壽延。
5. 天地也做得個怕硬欺軟，卻原來也這般順水推船。
6. 地也，你不分好歹何為地！天也，你錯勘賢愚枉做天。

一個人的歷史

關漢卿（西元1234年-西元1297年），元代雜劇作家。號已齋（一作一齋）。大都（今北京市）人。亦說祁州（在今河北）、解州（在今山西）人。約生於金末或元太宗時，賈仲明《錄鬼簿》弔詞稱他為「驅梨園領袖，總編修師首，撚雜劇班頭」，可見他在元代劇壇上的地位。

關漢卿曾寫有《南呂一枝花》贈給女演員珠簾秀，說明他與演員關係密切。據各種文獻資料記載，關漢卿編有雜劇六十七部，現存十八部。個別作品是否出自關漢卿手筆，學術界尚有分歧。其中《竇娥冤》、《救風塵》、《望江亭》、《拜月亭》、《魯齋郎》、《單刀會》、《調風月》等是他的代表作。

一點賞析的建議

關漢卿的雜劇內容具有強烈的現實性和彌漫著昂揚的戰鬥精神，關漢卿生活的時代，政治黑暗腐敗，社會動盪不安，階級矛盾和民族矛盾十分突出，人民群眾生活在水深火熱之中。他的劇作深刻地再現了社會現實，充滿著濃鬱的時代氣息。他的劇本反映生活面十分廣闊，既有對官場黑暗的無情揭露，又熱情謳歌了人民的反抗鬥爭。慨慷悲歌，樂觀奮爭，構成關漢卿劇作的基調。

《竇娥冤》第三折顯然是全劇的高潮，但對其它三折的閱讀和欣賞，更能幫助我們理解第三折的深刻思想和藝術價值，才能真正地體會竇娥反抗性格產生的深厚的現實基礎。

《琵琶記》
元 高明

一句話點評

則誠所以冠絕諸劇者，不唯其琢句之工，使事之美而已。其體貼人情，委曲必盡，描寫物態，彷彿如生，問答之際，了不見扭造，所以佳耳。

——王世貞

一口氣速讀

《琵琶記》是一部著名的南戲（南戲是北宋末至元末明初，即12世紀到14世紀間在中國南方最早興起的戲曲劇種），被推為「南戲之祖」，標誌著南戲從民間俚俗藝術形式發展為全面成熟階段，是南戲發展史的里程碑。

《琵琶記》的故事講述了書生蔡伯喈在與趙五娘婚後想過幸福生活，其父蔡公要求他去京城參加科舉考試，伯喈中狀元後又被要求與牛丞相女兒結婚，伯喈雖然不同意，但迫於牛丞相與皇帝的壓力，滯留京城。伯喈的家鄉遭受旱災，父母皆亡。趙五娘身背琵琶，沿路彈唱乞食，往京城尋夫，最後終於找到並得以團聚。

《琵琶記》總體上看作者的立意是「為文人立心」，宣傳忠孝、君臣的封建倫理道德，但其思想內容又比較複雜，表明封建社會忠孝難以兩全，在「全忠全孝」的同時又有一定批判；在宣傳封建道德時，對於當時的黑暗現實也有所批判，暴露了封建社會的黑暗，如牛丞相的專橫，地方官的腐敗等。總之，《琵琶記》不論在思想內容上，人物形象上，還是在結構和語言方面，都有獨特之處，值得欣賞玩味。

一段傑出的篇章

【八聲甘州歌】

（生）衷腸悶損，歎路途千里，日日思親。青梅如豆，難寄隴頭音信。高堂已添雙鬢雪，客路空瞻一片雲。（合）途中味，客裡身，爭如流水繞柴門？休回首，欲斷魂，數聲啼鳥不堪聞。

【前腔】

（末）風光正暮春，便縱然勞役，何必愁悶？綠陰紅雨，征袍上染惹芳塵。雲梯月殿圖貴顯，水宿風餐莫厭貧。（合）乘桃浪，躍錦鱗，一聲雷動過龍門。榮歸去，綠綬新，休教妻嫂笑蘇秦。

【前腔】

（淨）誰家近水濱，見畫橋煙柳，朱門隱隱。秋韆影裡，牆頭上露出紅粉。他無情笑語聲漸杳，卻不道惱殺多情牆外人。（合）思鄉遠，愁路貧，肯如十度謁侯門？行看取，朝紫宸，鳳池鼇禁聽絲綸。

【前腔】

（丑）遙瞻霧靄紛，想洛陽宮闕，行行將近。途程勞倦，欲待共飲芳樽。垂楊瘦馬莫暫停，只見古樹昏鴉棲漸盡。（合）天將暝，日已曛，一聲殘角斷樵門。尋宿處，行步緊，前村燈火已黃昏。

【餘文】

向人家，忙投奔，解鞍沽酒共論文；今夜雨打梨花深閉門。江山風物自傷情，南北東西為利名。路上有花並有酒，一程分作兩程行。

一分鐘感悟

1. 朝為田舍郎，暮登天子堂。
2. 將相本無種，男兒當自強。
3. 十年窗下無人問，一舉成名天下知。
4. 我本將心嚮明月，奈何明月照溝渠。
5. 不是一番寒徹骨，怎得梅花撲鼻香。

一個人的歷史

高明（西元1305年-西元1359年），字則誠，自號菜根道人，浙江里安人，元代戲曲作家。里安在古時也稱東嘉，故後人稱他為高東嘉。高明四十歲左右中了進士，在杭州等地作過小官。後來隱居在寧波城東的櫟社鎮，《琵琶記》就是在這一時期寫成的。他的劇作除了《琵琶記》，還有《閔子騫單衣記》，但已失傳。

一點賞析的建議

《琵琶記》的結構布置最為人稱道，採用了雙線結構。一條線是蔡伯喈上京考試入贅牛府，一條線是趙五娘在家，奉養公婆，它們共同表演一家的故事，共同表達一個主題。兩條線索交錯發展，對比排列，產生了強烈的悲劇效果和巨大的藝術感染力。

五

包羅萬象的明清時期

《三國演義》
明 羅貫中

一句話點評

在中國的古典小說中，《三國演義》享有崇高之極的地位，沒有任何一部小說比得上，近三百年來，向來稱之為「第一才子書」，或「第一奇書」。

——金庸

一口氣速讀

《三國演義》，原名為《三國志通俗演義》，是一本長篇歷史小說，可以說是中國古代長篇章回小說的開山之作，亦是中國古代四大名著之一，與《西遊記》、《水滸傳》、《紅樓夢》齊名。小說以東漢末年為歷史背景，以劉關張三兄弟、諸葛亮、東漢、曹魏、蜀漢及東吳六大路線為中心，講述東漢末年黃巾起義至魏、蜀、吳三國鼎立，到西晉統一為終結。小說通篇精巧敘述謀略，雖與史實多有出入，仍被譽為「中國謀略全書」。

魯迅在《中國小說的歷史的變遷》稱：「因為三國的事情，不像五代那樣紛亂；又不像楚漢那樣簡單；恰是不簡不繁，適於作小說。而且三國時的英雄，智術武勇，非常動人，所以人都喜歡取來做小說底材料。」

《三國演義》描寫的是從東漢末年到西晉初年之間近一百年的歷史，反映了三國時代的政治、軍事鬥爭以及各類社會矛盾的滲透與轉化。在對三國態度上，尊劉反曹鄙吳是民間的主要傾向，以劉備集團作為描寫的中心，隱含著人們對漢室復興的希望和皇室正統思想。

小說中描述戰爭的手法多樣，往往能讓人感到一場場刀光血影的戰爭場面就在眼前。其中，官渡之戰、赤壁之戰等戰爭的描寫波瀾起伏、跌宕跳躍，使人讀來驚心動魄，將史書上所沒有的情節描寫得十分細緻。

小說中刻畫了近兩百個人物形象，其中最為成功的有諸葛亮、曹操、關羽、劉備等人。諸葛亮是作者心目中的「賢相」的化身，他具有「鞠躬盡瘁，死而後已」的高風亮節，具有經世濟民再造太平盛世的雄心壯志，而且作者還賦予他呼風喚雨、神機妙算的奇異本領；曹操則被塑造成一位「寧教我負天下人，不教天下人負我」的奸雄，既有雄才大略，又殘暴奸詐，是一個政治野心家和陰謀家；關羽「威猛剛毅」、「義重如山」，但主要以個人恩怨為前提；劉備則被塑造成為仁民愛物、禮賢下士、知人善任的仁君典型。

由於《三國演義》在民間的流傳範圍、影響程度，都可謂是中國古代歷史小說中獨一無二的，這就造成了普通民眾，甚至一部分專家學者對東漢末年至三國時期，也就是小說所描述的歷史時期的概況、事件、人物缺乏正確的常識，從某種程度上說，小說《三國演義》的內容在國人心目中已經佔據了真實歷史的地位，這種現象在近來的電影、文學作品中都有所反應。民間也一直對這類現象有不少爭論。非凡的敘事才能，全景式的戰爭描寫，特徵化性格的人物形象，淺近的語言，構成了《三國演義》的主要特色。

一段傑出的篇章

忽一人問曰：「孔明以曹操何如人也？」視其人，乃薛綜也。孔明答曰：「曹操乃漢賊也，又何必問？」綜曰：「公言差矣。漢傳世至今，天數將終。今曹公已有天下三分之二，人皆歸心。劉豫州不識天時，強欲與爭，正如以卵擊石，安得不敗乎？」孔明厲聲曰：「薛敬文安得出此無父無君之言乎？夫人生天地間，以忠孝為立身之本。公既為漢臣，則見有不臣之人，當誓共戮之，臣之道也。

今曹操祖宗叨食漢祿，不思報效，反懷篡逆之心，天下之所共憤；公乃以天數歸之，真無父無君之人也！不足與語！請勿復言！」綜滿面羞慚，不能對答。

座上又一人應聲問曰：「曹操雖挾天子以令諸侯，猶是相國曹參之後。劉豫州雖云中山靖王苗裔，卻無可稽考，眼見只是織席販屨之夫耳，何足與曹操抗衡哉！」孔明視之，乃陸績也。孔明笑曰：「公非袁術座間懷橘之陸郎乎？請安坐，聽吾一言：曹操既為曹相國之後，則世為漢臣矣；今乃專權肆橫，欺凌君父，是不惟無君，亦且蔑祖，不惟漢室之亂臣，亦曹氏之賊子也。劉豫州堂堂帝胄，當今皇帝，按譜賜爵，何云無可稽考？且高祖起身亭長，而終有天下；織席販屨，又何足為辱乎？公小兒之見，不足與高士共語！」陸績語塞。

——《三國演義》

一分鐘感悟

1. 三軍易得，一將難求。

2. 萬事俱備，只欠東風。

3. 良禽擇木而棲，賢臣擇主而事。

4. 周郎妙計安天下，賠了夫人又折兵。

5. 非淡泊無以明志，非寧靜無以致遠。

6. 玉可碎而不可改其白，竹可焚而不可毀其節。

一個人的歷史

羅貫中（約西元1330年-約西元1400年），山西太原人，名本，字貫中，別號湖海散人，元末明初傑出的小說家。

羅貫中閱讀廣泛，著作甚豐，有《三國演義》（全稱《三國志通俗演義》）、《隋唐志傳》、《殘唐五代史演傳》、《三遂平妖傳》、《粉妝樓》等通俗小說五種，其中以《三國志通俗演義》成就最高。成書年代有元代中期、元末、明初諸說。此外他還有可能參加過《水滸傳》的創作或加工。創作上的巨大成功，使他成為中國小說史上繼往開來的重要作家。同時，羅貫中還是有影響的戲劇家，其作品有雜劇三種，僅有《趙太祖龍虎風雲會》傳世。

一點賞析的建議

《三國演義》是中國文學史上第一部成熟的長篇小說。它在廣闊的歷史背景中，形象而深刻地描寫了當時各個政治集團之間錯綜複雜的政治、軍事矛盾和衝突，表現了對於導致天下大亂的昏君賊臣的痛恨，對於創造清平世界的明君良臣的渴望，代表著古代歷史演義小說的最高水準。

《三國演義》波瀾壯闊、氣勢恢弘、人物眾多、情節複雜，讀者在閱讀的時候，不妨先抓住幾個重要人物來讀，再以重要事件為線索閱讀，然後逐漸通讀。

《水滸傳》
明 施耐庵

一句話點評

在五百年中，流行最廣、勢力最大、影響最深遠的書，並不是《四書五經》，也不是《理性語錄》，乃是幾部白話小說，《水滸傳》就是其中的一部奇書，是中國文學的正宗。

——胡適

一口氣速讀

《水滸傳》，又名《忠義水滸傳》，初名《江湖豪客傳》，一般簡稱《水滸》，全書定型於明朝，是中國歷史上以白話文寫成的章回小說，被後人歸為中國古典四大文學名著之一。其內容講述北宋山東梁山泊以宋江為首的綠林好漢，由被迫落草，發展壯大，直至受到朝廷招安，東征西討的歷程。

《水滸傳》全書描寫了北宋末年，以宋江為首的梁山一百零八將各自不同的故事，從他們一個個被逼上梁山、逐漸壯大、起義造反到最後接受招安的全過程。水滸中的一百單八將傳說是三十六個天罡星和七十二個地煞星轉世，他們講究忠和義，愛打抱不平、劫富濟貧，不滿貪官污吏，最後集結梁山，與腐化的朝廷抗爭。小說成功地塑造了宋江、林沖、李逵、魯智深、武松等人物的鮮明形象，也向讀者展示了宋代的政治與社會狀況。

《水滸傳》是世界上涉及人物最多的小說，共涉及人物七八七位，其中有名有姓的有五七七位，有名無姓有九位，有姓無名的有九十九位。梁啟超曾這樣評價《水滸》一書：為中國小說中錚錚者，道武俠之模範，使社會受其餘賜，實施耐庵之功也。金聖歎加以評語，和二人全副精神，所以妙極。

中國歷史上以白話文寫成的長篇小說，《水滸傳》對後世的影響是巨大的。《水滸傳》被改編成多種曲藝形式。另一篇古典名著《紅樓夢》中就提到了「魯智深大鬧五臺山」的曲目。評書、蘇州評彈和山東快書都有很多經典節目是取材自《水滸傳》。

一段傑出的篇章

再說林沖踏著那瑞雪，迎著北風，飛也似奔到草場門口開了鎖，入內看時，只叫得苦。原來天理昭然，祐護善人義士。因這場大雪，救了林沖的性命。那兩間草廳，已被雪壓倒了。林沖尋思：「怎地好？」放下花槍、葫蘆在雪裡。恐怕火盆內有火炭延燒起來，搬開破壁子，探半身入去摸時，火盆內火種都被雪水浸滅了。林沖把手床上摸時，只拽得一條絮被。林沖鑽將出來，見天色黑了，尋思：「又沒把火處，怎生安排？」想起：「離了這半里路上，有一古廟，可以安身。我且去那裡宿一夜，等到天明，卻作理會。」把被卷了，花槍挑著酒葫蘆，依舊把門拽上，鎖了，望那廟裡來。入得廟門，再把門掩上，傍邊止有一塊大石頭，掇將過來，靠了門。入得裡面看時，殿上塑著一尊金甲山神，兩邊一個判官，一個小鬼，側邊堆著一堆紙。團團看來，又沒鄰舍，又無廟主。林沖把槍和酒葫蘆放在紙堆上，將那條絮被放開。先取下氈笠子，把身上雪都抖了，把上蓋白布衫脫將下來，早有五分濕了，和氈笠放在供桌上，把被扯來，蓋了半截下身。卻把葫蘆冷酒提來慢慢地吃，就將懷中牛肉下酒。正吃時，只聽得外面必必剝剝地爆響，林沖跳起身來，就壁縫裡看時，只見草料場裡火起，刮刮雜雜的燒著。但見：

雪欺火勢，草助火威。偏愁草上有風，更訝雪中送炭。赤龍鬥躍，如何玉甲紛紛；粉蝶爭飛，遮莫火蓮焰焰。初疑炎帝縱神駒，此方芻牧；又猜南方逐朱雀，遍處營巢。誰知是白地裡起災殃，也須信暗室中開電目。看這火，能教烈士無明發；對這雪，應使姦邪心膽寒。

——《水滸傳》

一分鐘感悟

1. 惺惺惜惺惺，好漢識好漢。
2. 恩仇不辯非豪傑，黑白分明是丈夫。
3. 破屋更遭連夜雨，漏船又遇打頭風。
4. 有緣千里來相間，無緣見面不相逢。
5. 畫龍畫虎難畫骨，知人知面不知心。
6. 廣施恩惠，人生何處不相逢；多結冤仇，路窄狹時難迴避。

一個人的歷史

由作者施耐庵（約西元1296年-西元1370年），江蘇興化人，原名施彥端，字肇端，號子安，別號耐庵，元末明初著名小說家。關於施耐庵的生平事蹟流傳下來的史料極少。據傳他三十五歲中進士，在杭州做過兩年官，因與權貴不合，棄官回家從事創作，後遷至江蘇興化。又相傳他是羅貫中的學生，曾參與《三國演義》的創作，還參加過張士誠的農民起義，目睹朝廷的腐敗、社會的不平，創作了《水滸傳》。

一點賞析的建議

《水滸傳》是一部以描寫古代農民起義為題材的長篇小說。它形象地描繪了農民起義從發生、發展直至失敗的全過程，深刻揭示了官逼民反、亂由上作是起義的直接原因，滿腔熱情地歌頌了起義英雄的反抗鬥爭和他們的社會理想，也具體揭示了起義失敗的內在歷史原因。

《水滸傳》上半部以人物為線索，下半部以事件為順序。相比之下，寫人的前半部更好看。建議讀者在閱讀的時候思考為什麼史進、魯智深、林沖、宋江、武松等一些英雄形象能「千古若活」。

《三言二拍》
明 馮夢龍、淩濛初

一句話點評

三言能極摹人情世能之歧，備寫悲歡離合之致。

——笑花主人

一口氣速讀

「三言二拍」是明朝末年出版的五本古典白話小說集，書中每篇獨立，故雖出於明末但屬話本小說，並非章回小說。其中三言指的是馮夢龍寫的《喻世明言》、《警世通言》、《醒世恆言》，二拍指的是淩濛初所寫的《初刻拍案驚奇》和《二刻拍案驚奇》。明末抱甕老人從這五部書中選出其中佳作四十篇編成《今古奇觀》，故有「三言二拍」的合稱。

「三言」每集四十篇，共一百二十篇。這些作品有的是輯錄了宋、元、明以來的舊本，但一般都做了不同程度的修改，也有的是據文言筆記、傳奇小說、戲曲、歷史故事，乃至社會傳聞再創作而成，因此，「三言」包容了舊本的匯輯和新著的創作，是中國白話短篇小說在說唱藝術的基礎上，經過文人的整理加工到文人進行獨立創作的開始。它的出現，標誌著古代白話短篇小說整理和創作高潮的到來。

在「三言」的影響下，淩濛初編著了《初刻拍案驚奇》和《二刻拍案驚奇》各四十卷，合稱「二拍」。故事內容主要取材於《太平廣記》、《夷堅志》、《剪燈新話》、《剪燈餘話》等書，是明朝現實社會的寫照，大多反映的是婚姻自主，因果應報等思想。

一段傑出的篇章

時已四鼓，十娘即起身挑燈梳洗道：「今日之妝，乃迎新送舊，非比尋常。」於是脂香粉澤，用意修飾，花鈿繡襖，極其華豔，香風拂拂，光彩照人。裝束方完，天色已曉。孫富差家童到船頭候信。十娘微窺公子，欣欣似有喜色，乃催公子快去回話，及早兌足銀子。公子親到孫富船中，回覆依允。孫富道：「兌銀易事，須得麗人妝臺為信。」公子又回覆了十娘，十娘即指描金文具道：「可便抬去。」孫富喜甚，即將白銀一千兩，送到公子船中。十娘親自檢看，足色足數，分毫無爽。乃手把船舷，以手招孫富。孫富一見，魂不附體。十娘啟朱唇，開皓齒道：「方才箱子可暫發來，內有李郎路引一紙，可檢還之也。」孫富視十娘已為甕中之　，即命家童送那描金文具，安放船頭之上。十娘取鑰開鎖，內皆抽屜小箱。十娘叫公子抽第一層來看，只見翠羽明璫，瑤簪寶珥，充牣於中，約值數百金。十娘遽投之江中。李甲與孫富及兩船之人，無不驚詫。又命公子再抽一箱，乃玉簫金管。又抽一箱，盡古玉紫金玩器，約值數千金。十娘盡投之於大江中。岸上之人，觀者如堵。齊聲道：「可惜！可惜！」正不知什麼緣故。最後又抽一箱，箱中復有一匣。開匣視之，夜明之珠，約有盈把。其它祖母綠、貓兒眼，諸般異寶，目所未睹，莫能定其價之多少。眾人齊聲喝彩，喧聲如雷。十娘又欲投之於江。李甲不覺大悔，抱持十娘慟哭，那孫富也來勸解。

——《杜十娘怒沉百寶箱》

一分鐘感悟

1. 易求無價寶，難得有情郎。

2. 隨你官清似水，難逃吏滑如油。

3. 大膽天下去得，小心寸步難行。

一個難忘的時代

三言的編者馮夢龍（西元1574年-西元1646年），字猶龍，又字子猶，號龍子猶、墨憨齋主人、顧曲散人，吳下詞奴、姑蘇詞奴、前周柱史等。南直隸蘇州府長洲縣（今江蘇省蘇州市）人，明代文學家、戲曲家。崇禎三年（西元1630年）馮夢龍被推舉為貢士，後來做到福建壽寧知縣，明朝滅亡時，傳聞他殉節而死。他在詩文方面的才華極其卓越，也有關於經學的著作，但最重要的是以明末通俗文壇第一人著稱於世。三言中有的是他自己的創作，有的是改寫的。

二拍的編者是淩濛初（西元1580年-西元1644年），字玄房，號初成，亦稱為即空觀主人，浙江烏成人，歷任上海縣尉，代理知縣等職，。據傳，崇禎十七年（西元1644年）李自成率軍逼近時，他吐血而亡。他是明朝通俗文壇的大家升任徵川通判。

一點賞析的建議

「三言二拍」最大的特點是濃厚的平民氣息和崇商意識。讀者在閱讀時，要體會晚明的這部小說集滲透的市井色彩和呈現出的新的價值取向。

《牡丹亭》
明 湯顯祖

一句話點評

《牡丹亭》是正宗正統正派。

——白先勇

一口氣速讀

《牡丹亭》，原名《還魂記》，又名《杜麗娘慕色還魂記》是明代劇作家湯顯祖的代表作，創作於一五九八年，描寫了大家閨秀杜麗娘和書生柳夢梅的生死之戀。與《紫釵記》、《南柯記》和《邯鄲記》並稱為「玉茗堂四夢」。

《牡丹亭》描寫了南宋時期貧寒書生柳夢梅夢見在一座花園的梅樹下立著一位佳人，說同他有姻緣之分，從此經常思念她。南安太守杜寶獨生女杜麗娘一日在花園中睡著，與一名年輕書生在夢中相愛，醒後終日尋夢不得，抑鬱而終。杜麗娘臨終前將自己的畫像封存並埋入亭旁，其父升任淮陽安撫使，委託陳最良葬女並修建「梅花庵觀」。三年後，柳夢梅赴京應試，借宿梅花庵觀中，在太湖石下拾得杜麗娘畫像，發現杜麗娘就是他夢中見到的佳人。杜麗娘魂遊後園，和柳夢梅再度幽會。柳夢梅掘墓開棺，杜麗娘起死回生，兩人結為夫妻，前往臨安。柳夢梅在臨安應試後，受杜麗娘之託，送家信傳報還魂喜訊，結果被杜寶囚禁。放榜後，柳夢梅由階下囚一變而為狀元，但杜寶拒不承認女兒的婚事，強迫她離異，最終鬧到金鑾殿之上才得以解決，杜麗娘和柳夢梅二人終成眷屬。

《牡丹亭》是湯顯祖最著名的劇作，在思想和藝術方面都達到了其創作的最高水準。此劇在封建禮教制度森嚴的古代中國一經上演，就受到民眾的歡迎，特別是感情受壓抑婦女。有記載當時有少女讀其劇作後深為感動，以至於「忿惋而死」，以及杭州有女伶演到「尋夢」一齣戲時感情激動，卒於臺上。杜麗娘與柳夢梅的愛情故事體現了青年男女對自由的愛情生活的追求，顯示了要求個性解放的思想傾向。

一段傑出的篇章

【繞地遊】

（旦上）夢回鶯囀，亂煞年光遍。人立小庭深院。（貼）炷盡沉煙，拋殘繡線，恁今春關情似去年？

【烏夜啼】

（旦）曉來望斷梅關，宿妝殘。（貼）你側著宜春髻子恰憑欄。（旦）「剪不斷，理還亂」，悶無端。（貼）已分付催花鶯燕借春看。（旦）春香，可曾叫人掃除花徑？（貼）分付了。（旦）取鏡臺衣服來。（貼取鏡臺衣服上）「雲髻罷梳還對鏡，羅衣欲換更添香。」鏡臺衣服在此。（旦）好天氣也！

【步步嬌】

（旦）嫋晴絲吹來閒庭院，搖漾春如線。停半晌，整花鈿。沒揣菱花，偷人半面，迤逗的彩雲偏。（行介）步香閨怎便把全身現！（貼）今日穿插的好。

【醉扶歸】

（旦）你道翠生生出落的裙衫兒茜，豔晶晶花簪八寶填，可知我常一生兒愛好是天然。恰三春好處無人見，不提防沉魚落雁鳥驚喧，則怕的羞花閉月花愁顫。（貼）早茶時了，請行。（行介）你看：畫廊金粉半零星，池館蒼苔一片青。踏草怕泥新繡襪，惜花疼煞小金鈴。（旦）不到園林，怎知春色如許！

【皂羅袍】

原來姹紫嫣紅開遍，似這般都付與斷井頹垣。良辰美景奈何天，賞心樂事誰家院！恁般景致，我老爺和奶奶再不提起。（合）朝飛暮卷，雲霞翠軒；雨絲風片，煙波畫船——錦屏人忒看的這韶光賤！

——《牡丹亭》

一分鐘感悟

1. 寸草心，怎報的春光一二！
2. 官也清，吏也清，村民無事到公庭。
3. 今朝馬上看山色，爭似騎牛得自由。
4. 朝飛暮倦，雲霞翠軒；雨絲風片，煙波畫船，錦屏人忒看的這韶光賤。
5. 這般花花草草由人戀，生生死死隨人願，便酸酸楚楚無人怨。

一個人的歷史

湯顯祖（西元1550年-西元1616年），字義仍，號海若、若士、清遠道人。江西臨川（今江西撫州）人。明代傑出的戲曲家、文學家。

湯顯祖出身於書香世家，少年即有文名，二十一歲中舉。因不肯依附權貴，三十四歲始中進士。後因觸怒權貴而被議免官，於萬曆二十六年（西元1598年）憤而棄官歸里，潛心於戲劇及詩詞創作。辭官後，他通過戲曲創作活動，進行反對程朱理學的鬥爭，成為明代成就最大的傳奇作家。戲曲作品，今存《紫簫記》、《牡丹亭》、《紫釵記》、《南柯記》、《邯鄲記》五種，詩文集有《紅泉逸草》、《問棘郵草》、《玉茗堂集》。

一點賞析的建議

《牡丹亭》的曲辭非常優美動人，抒情氣息濃鬱，充滿詩情畫意。如《驚夢》一出中的幾首曲子，寫景寫情，由景起情，因情生景，達到了情景交融、渾然一體的境地。另外，作者還能從生活出發，給不同的人物安排不同風格的合乎人物身份的曲文，雅與俗各顯其個性本色。

讀者在閱讀的時候，要思考《牡丹亭》為什麼會成為古代愛情戲中繼《西廂記》以來影響最大、藝術成就最高的傑作，杜麗娘的形象為什麼會成為人們心中青春和美麗的化身、至情與純情的偶像。

《金瓶梅》
明 蘭陵笑笑生

一句話點評

《金瓶梅》的作者之於世情，蓋誠極洞達，凡所形容，或條暢，或曲折，或刻露而盡相，或幽伏而含譏，或一時並與兩面，使之相形，變幻之情，隨在顯見，同時說部，無以上之。

——魯迅

一口氣速讀

《金瓶梅》，也稱《金瓶梅詞話》，是中國史上第一部文人獨立創作的長篇白話世情章回小說。作者不著其名字，署名為明代蘭陵笑笑生。小說從《水滸傳》中引出，根據《水滸傳》中西門慶勾引潘金蓮，殺潘夫武大郎，最後被武松所殺的情節展開，略加改動，描寫了西門慶從發跡到淫亂而死的故事。

《金瓶梅》的書名從小說中西門慶的三個妾和寵婢潘金蓮、李瓶兒、龐春梅的名字中各取一字而成。也有人認為，實際上有更深一層涵義，即「金」代表金錢，「瓶」代表酒，「梅」代表女色。

《金瓶梅》像寫日記一樣，它的故事是逐年逐月展開的。《金瓶梅》開篇說「話說宋徽宗皇帝政和年間」。內容如下：宋徽宗政和至宣和年間，山東東憑府清河縣有一破落戶子弟叫西門慶，勾搭武大郎的妻子潘金蓮，毒殺了武大郎。武大弟弟武松回來後找西門慶算帳，卻誤打了皁隸李外，結果被發配孟州。

此時西門慶家中已有四房妻妾，正房是吳月娘，妾依次是李嬌兒、孟玉樓、孫雪娥，潘金蓮被娶回家中成為第五房。西門慶跟卜志道等一班幫閒結成「十兄弟會」，因卜志道死了就拉上了花子虛。西門慶由此勾搭上花的老婆李瓶兒，並謀取花家錢財，花子虛因氣喪身。西門慶因事耽誤婚娶李瓶兒，李瓶兒改嫁蔣竹山。西門慶於是尋釁毆打蔣竹山，李瓶兒棄蔣重嫁西門慶，做了第六房妾。

西門慶連得外財，家道興盛，除原有生藥鋪外，又新開了當鋪和絨線鋪。雖然家中有六房妻室，但他又在妓院梳籠了妓女李桂姐，在家裡霸佔了僕婦宋惠蓮。潘金蓮過門後，她縱容西門慶收用丫鬟春梅，並與之打成一夥；和女婿陳經濟打情罵俏，肆無忌憚；又激引西門慶踢打孫雪娥，結下仇恨；又挑撥西門慶與吳月娘的關係，致使二人見面不說話。後來西門慶在妓院和李桂姐鬧翻，才和吳月娘和好。

李瓶兒懷孕，潘金蓮旁敲側擊，冷嘲熱諷。西門慶通過太師大管家翟謙巴結上了太師蔡京，在蔡京生日時進奉生辰擔，蔡京舉薦他做了金吾衛山東提刑所的理刑副千戶。喜訊傳來時，正值李瓶兒生子，於是給孩子取名官哥兒。西門慶打手本，做官衣，拜上司，會同僚，開宴慶歡，好不熱鬧。為了報答翟謙，西門慶買下韓道國的女兒愛姐，送與翟謙做妾。趁韓道國去東京送女兒，他便佔有了愛姐的母親王六兒。西門慶為官哥兒在玉皇廟寄名大做法事。

潘金蓮暗恨李瓶兒得子奪了她的寵愛。苗青犯法，通過王六兒賄賂西門慶，西門慶受贓枉法。御史曾孝序追查此案，西門慶又買通蔡京，反將曾孝序貶黜。西淮鹽御史蔡蘊是蔡京義子，曾得西門慶厚贈，通過他引見，西門慶得以宴請新任山東巡按御史宋喬年，哄動一時。吳月娘祈天求子，吃了符藥，得了胎息。潘金蓮察知此事，如法炮製。為了奪回寵愛，潘金蓮使計使白獅子貓撲抓官哥兒，官哥兒因此驚風身亡。李瓶兒本因受潘金蓮的暗氣，得了病根，又痛失親子，不久也喪命黃泉。西門慶為李瓶兒大辦喪事，守靈時又和官哥兒的奶媽如意兒發生了關係。

宋喬年借西門慶花園宴請欽差六黃太尉，翟謙又捎書透報西門慶有望升為掌刑，西門慶歡喜不盡。黃四因西門慶說情，開脫了他丈人和小舅子的官司，在院裡設酒答謝西門慶。西門慶通過牽頭勾搭上林太太，又設計使與李桂姐來往的招宣府王三官認其作義父。年終考選時，西門慶果被舉掌刑名。潘金蓮因吳月娘嚴謹門戶，不得和女婿陳經濟勾搭，便夥同春梅尋釁毆打奶媽如意兒，毀罵賣唱女申二姐，甚至頂撞吳月娘。

西門慶則愈加放縱情慾，同潘金蓮淫欲無度，又暗交管家老婆，明訪妓女鄭愛月兒，再會林太太、王六兒，弄得精疲力竭，最後因吃壯陽藥，精泄不止一命嗚呼，亡年三十三歲。

西門慶死亡的同時，吳月娘生子，取名孝哥兒。西門慶死後，李嬌兒改嫁張二官，孟玉樓改嫁李衙內。此時武松遇赦回家，殺死王婆和潘金蓮，為兄長報仇。春梅被賣到守備府做了二房妾，孫雪娥被春梅買去做婢。西門慶六房妻妾，除正房吳月娘外風飄雲散。後孝哥兒被點化出家。吳月娘返歸故里，善終而亡。

一段傑出的篇章

唱完了，安進士問書童道：「你們可記的《玉環記》『恩德浩無邊』？」書童答道：「此是《畫眉序》，小的記得。」隨唱道……

原來安進士杭州人，喜尚男風，見書童兒唱的好，拉著他手兒兩個一遞一口吃酒。良久，酒闌上來，西門慶陪他復遊茶園，向卷棚內下棋。令小廝拿兩個桌盒，三十樣都是細巧果菜、鮮物下酒。蔡狀元道：「學生們初會，不當深擾潭府，天色晚了，告辭罷。」西門慶道：「豈有此理。」因問：「蔡公此回去，還到船上？」蔡狀元道：「暫借門外永福寺寄居。」西門慶道：「如今就門外去也晚了。不如老先生把手下從者止留一二人照應，其餘都分付回去，明日來接。庶可兩盡其情。」蔡狀元道：「賢公雖是愛客之意，其如過擾何！」當下二人一面分付手下，都回門外寺裡歇去，明日早拿馬來接。眾人應諾去了，不在話下。

一分鐘感悟

1. 飽暖生閒事，飢寒發盜心。
2. 福禍無門人自招，須知樂極有悲來。
3. 分明指與平川路，錯把忠言當惡言。
4. 得意友來情不厭，知心人至話投機。

一個難忘的年代

《金瓶梅》號稱明代第一奇書。作者署名蘭陵笑笑生。蘭陵今屬山東嶧縣，從書中的大量山東方言看，作者大約是山東人。笑笑生的真實姓名並不清楚。明代沈德符《野獲編》說「聞此為嘉靖大名士手筆」。有人推測是王世貞、徐渭、李開先、馮惟敏或趙南量等，但都缺乏確鑿的證據。關於《金瓶梅》的作者還是一個有待學術界繼續探討的問題。

一點賞析的建議

《金瓶梅》對於明中葉的社會和家庭作了犀利的揭露，是我們認識社會人生的一面鏡子。青少年閱讀時應選擇刪節本，以避免其中情趣低級內容的侵害。

《西遊記》

明 吳承恩

一句話點評

沒讀過《西遊記》，就像沒讀過托爾斯泰或陀思妥耶夫斯基的小說一樣，這種人侈談小說理論，可謂大膽。

——法國當代比較文學家艾登堡

一口氣速讀

《西遊記》是一部充滿浪漫主義風格的中國古代神魔小說，它崇尚自由、張揚個性、神幻離奇、詼諧幽默，主要人物性格鮮明，極富生命力，堪稱文林獨秀，為中國「四大名著」之一。書中講述唐朝玄奘法師西天取經的故事，表現了懲惡揚善的古老主題。

《西遊記》成書於十六世紀的明朝中葉，自問世以來在中國及世界各地廣為流傳，被翻譯成多種語言。在中國乃至亞洲《西遊記》家喻戶曉，其中孫悟空、唐僧、豬八戒、沙僧等人物形象和「大鬧天宮」、「三打白骨精」、「火焰山」等故事尤其為人熟悉。《西遊記》系統地反映了中國釋、道、儒三教合流的思想體系，將道教的天上、地獄和海洋的神仙體系與佛教的西天揉合到一起，並在同時執行「世上沒有不忠不孝的神仙」的儒教思想。《西遊記》提出「皇帝輪流作，明年到我家」的大膽言論，同時這本書中神仙體系的描繪正是作者當時生活的明朝政治社會的縮影。幾百年來，《西遊記》被改編成各種地方戲曲、電影、電視劇、動畫片、漫畫等，版本眾多。在日本等亞洲國家也出現了以孫悟空為主角的文藝作品，樣式眾多，數量驚人。

《西遊記》全書分為三大部分，前七回是全書的引子部分，一邊安排孫悟空出場，交代清楚其身世、能耐、性情；一邊通過孫悟空在天、地、冥、水四境界穿越，描繪四境界風貌，建立一個三維四境界立體思維活動空間。八至十二回寫唐僧出世，唐太宗入冥故事，交待去西天取經的緣由。十三至一百回寫孫悟空、白龍馬、豬八戒、沙僧保護唐僧西天取經，沿途降妖伏魔，歷經九九八十一難，到達西天，取得真經，修成正果的故事。

一段傑出的篇章

當時李天王傳了令，著眾天兵紮了營，把那花果山圍得水泄不通。上下佈了十八架天羅地網，先差九曜惡星出戰。九曜即提兵徑至洞外，只見那洞外大小群猴跳躍頑耍。星官厲聲高叫道：「那小妖！你那大聖在那裡？我等乃上界差調的天神，到此降你這造反的大聖。教他快快來歸降，若道半個『不』字，教汝等一概遭誅！」那小妖慌忙傳入道：「大聖，禍事了！禍事了！外面有九個凶神，口稱上界差來的天神，收降大聖。」那大聖正與七十二洞妖王並四健將分飲仙酒，一聞此報，公然不理道：「今朝有酒今朝醉，莫管門前是與非。」說不了，一起小妖又跳來道：「那九個凶神，惡言潑語，在門前罵戰哩！」大聖笑道：「莫採他，詩酒且圖今日樂，功名休問幾時成。」說猶未了，又一起小妖來報：「爺爺！那九個凶神已把門打破，殺進來也！」大聖怒道：「這潑毛神，老大無禮！本待不與他計較，如何上門來欺我？」即命獨角鬼王，領帥七十二洞妖王出陣。老孫領四健將隨後。那鬼王疾帥妖兵，出門迎敵。卻被九曜惡星一齊掩殺，抵住在鐵板橋頭，莫能得出。

——《西遊記》

一分鐘感悟

1. 會家不忙，忙家不會。
2. 皇帝輪流做，明年到我家。
3. 有風方起浪，無潮水自平。
4. 山高自有客行路，水深自有渡船人。

一個人的歷史

作者吳承恩（約西元1500年-約西元1582年），字汝忠，號射陽山人，淮安山陽（今江蘇淮安）人。明代傑出的作家。吳承恩出身於由下級官吏轉變為商人的家庭，少時就頗有文名。他博覽群書，詩才超群，善畫工書，精通聲律，但科場屢遭挫折，四十多歲才補為歲貢生，出任浙江長興縣縣丞。由於他性情耿介，不肯曲意逢迎，所以宦海不得志。晚年更加絕意仕進，專心著書。現存作品除《西遊記》外，還有《射陽先生存稿》四卷。另有一部志怪小說《禹鼎志》，現已失傳，僅存序文。

一點賞析的建議

《西遊記》作為一部神魔小說，既不直接描寫現實生活、又不屬於史前原始神話，它在神幻奇異的故事和詼諧滑稽的筆墨之外，蘊涵著某種深意。對此，歷來的評論家作過種種探討，但就其最主要和最有特徵性的精神來看，作者主觀上是想通過孫悟空這一藝術形象，來宣揚當時以「明心見性」為基本內容的「心學」思想，維護封建社會的正常秩序，但客觀上則張揚了人的自我價值和對於人性美的追求。

讀者在閱讀時可以思考為什麼《西遊記》中的神魔包括孫悟空、豬八戒既有神的本領，又有人的性格、行為和人的弱點，明代的平民社會是如何滲入到作品中去的。

《長生殿》
清 洪昇

一句話點評

取天寶間遺事，收拾殆盡。

——吳梅

一口氣速度

《長生殿》是取材自唐代詩人白居易的長詩〈長恨歌〉、陳鴻的傳奇《長恨歌傳》和元代劇作家白樸的劇作《梧桐雨》，故事描寫唐玄宗寵幸貴妃楊玉環，兩人於七夕之夜在長生殿對著牛郎織女星發誓永不分離。由於唐玄宗終日和楊玉環遊樂，不理政事，寵信楊國忠和安祿山。後來安祿山造反，唐玄宗等逃離長安，在陝西馬嵬坡軍士嘩變，要求處死罪魁楊國忠和楊玉環，唐玄宗不得已讓楊玉環上吊自盡。

楊玉環死後深切痛悔，受到馬嵬坡土地神協助：「馬嵬坡少一個苦遊魂，蓬萊山多一員舊仙侶」，天孫織女說：「既悔前非，諸愆可釋」。

唐代宗廣德元年（763年）郭子儀帶兵平定安史之亂，唐玄宗回到長安後，日夜思念楊玉環，見月傷心，派方士去海外尋找蓬萊仙山，最終感動了天孫織女，使兩人在月宮中最終團圓。

《長生殿》全劇本共有五十折，劇情涉及皇室、仙界與人間，重點描寫了唐朝天寶年間皇帝昏庸、政治腐敗給國家帶來的巨大災難的歷史。劇本雖然譴責了唐玄宗的窮奢極侈，但同時又表現了對唐玄宗和楊玉環之間的愛情的同情，間接表達了對明朝統治的同情，還寄託了對美好愛情的理想。

一段傑出的篇章

【玉樓春】

（丑扮高力士，二宮女執扇引，旦扮楊貴妃上）恩波自喜從天降，浴罷妝成趨彩仗。（宮女）六宮未見一時愁，齊立金階偷眼望。

（到介，丑進見生跪介）奴婢高力士見駕。冊封貴妃楊氏，已到殿門。候旨。（生）宣進來。（丑出介）萬歲爺有旨，宣貴妃楊娘娘上殿。（旦進，拜介）臣妾貴妃楊玉環見駕，願吾皇萬歲！（內侍）平身。（旦）臣妾寒門陋質，充選掖庭，忽聞寵命之加，不勝隕越之懼。（生）妃子世胄名家，德容兼備。取供內職，深愜朕心。（旦）萬歲。（丑）平身。（旦起介，生）傳旨排宴。（丑傳介）（內奏樂。旦送生酒，宮女送旦酒。生正坐，旦傍坐介）

【大石過曲．念奴嬌序】

（生）寰區萬里，遍徵求窈窕，誰堪領袖嬪嬙？佳麗今朝、天付與，端的絕世無雙。思想，擅寵瑤宮，褒封玉冊，三千粉黛總甘讓。（合）惟願取恩情美滿，地久天長。

【前腔】

（換頭）（旦）蒙獎。沉吟半晌，怕庸姿下體，不堪陪從椒房。受寵承恩，一霎裡身判人間天上。須仿、馮當熊，班姬辭輦，永持彤管侍君傍。(合) 惟願取恩情美滿,地久天長。

【前腔】

(換頭)(宮女) 歡賞,借問從此宮中,阿誰第一?似趙家飛燕在昭陽,寵愛處,應是一身承當。休讓,金屋妝成,玉樓歌徹,千秋萬歲捧霞觴。(合) 惟願取恩情美滿,地久天長。

【前腔】

(換頭)(內侍) 瞻仰,日繞龍鱗,雲移雉尾,天顏有喜對新妝。頻進酒,合殿春風飄香。堪賞,圓月搖金,餘霞散綺,五雲多處易昏黃。(合) 惟願取恩情美滿,地久天長。

(丑) 月上了。啟萬歲爺撤宴。(生) 朕與妃子同步階前,玩月一回。(內作樂。生攜旦前立,眾退後,齊立介)

——《長生殿‧定情》

一分鐘感悟

1. 今古情場,問誰個真心到底?但果有精誠不散,終成連理。萬里何愁南共北,兩心那論生和死。
2. 你看眼嵌貓睛石,額雕瑪瑙紋,蜜蠟裝牙齒,珊瑚鑲嘴唇。
3. 禁中明月,永無照影之期;苑外飛花,已絕上枝之望。
4. 恩從天上濃,緣向生前種。

一個人的歷史

洪昇(西元1645年-西元1704年)字昉思,號稗畦,又號稗村、南屏樵者,錢塘(今浙江杭州)人,清代戲曲作家、詩人。洪昇生於官宦之家,康熙七年(西元1668年)北京國子監肄業,二十年均科舉不第，白衣終身。康熙二十七年（西元1688年）完成《長生殿》並社會轟動。第二年因在孝懿皇后忌日演出《長生殿》，而被劾下獄，後離開北京返鄉。康熙四十三年，曹寅在南京排演劇本《長生殿》，洪昇應邀前去觀賞，事後在返回杭州途中，在烏鎮酒醉後失足落水而死。洪昇與孔尚任並稱為「南洪北孔」。

一點賞析的建議

《長生殿》以宮廷生活為主線，穿插社會政治的演變，情節跌宕起伏，在閱讀時要重點欣賞劇本中的一些精彩篇章，如《定情》、《驚變》、《疑讖》、《偷曲》、《絮閣》、《罵賊》、《聞鈴》、《哭像》、《彈詞》等，這些劇碼至今仍在上演，是崑曲中的優秀傳統劇碼。

《鏡花緣》
清 李汝珍

一句話點評

他最關心的是把《山海經》、《拾遺記》、和《博物志》諸地理典籍中的駭異邦域和人物野獸等復活過來。

——夏志清

一口氣速讀

《鏡花緣》是一部帶有濃厚的神話色彩、夢幻迷離的中國古典長篇小說。作者以其神幻詼諧的創作手法數經據典，勾畫出一幅奇妙彩圖。小說前半部分描寫了唐敖、多九公等人乘船在海外遊歷的故事，包括他們在「女兒國」、「君子國」、「無腸國」等國的經歷。後半部寫了武則天科舉選才女，由「百花仙子」託生的唐小山及其它各花仙子託生的一百位才女考中，並在朝中有所作為的故事。

武則天廢唐改周時，一日，天降大雪，她因醉下詔百花盛開，不巧百花仙子出遊，眾花神無從請示，又不敢違旨不尊，只得開花，因此違犯天條，百花仙子被玉帝貶到人間。

百花仙子託生為秀才唐敖之女唐小山。唐敖赴京趕考，中得探花。此時徐敬業起兵討伐武則天，有人陷害唐敖，說他與徐敬業有結拜之交，被革去功名。唐敖便隨妻兄林之洋、舵工多九公出海經商。三人遊海外諸國，覽異聞奇景。途中經歷了「君子國」、「大人國」、「淑士國」、「白民國」、「黑齒國」、「不死國」、「穿胸國」、「結腸國」、「豕喙國」、「長人國」、「伯慮國」、「勞民國」、「女兒國」、「軒轅國」等地，也遇見鮫人、蠶女、當康、果然、麟鳳、狻猊等奇異生物，見識了各種奇人異事、奇風異俗，並結識了由花仙轉世的女子，後來唐敖到小蓬萊山求仙不返。

唐小山為找尋父親，與舅父林之洋等再度出海，歷經許多磨難，到達小蓬萊。在鏡花嶺下收得唐敖書信，並讓她改名「閨臣」，去赴才女考試，考中後父女再相聚。武則天開試女科，唐閨臣等進京赴試，錄取百位才女。才女們相聚「紅文宴」，各顯其才，琴棋書畫，醫卜音算，燈謎酒令，人人論學說藝，盡歡而散。

此時徐敬業、駱賓王等人的後代又起兵反周，擁立中宗復位，武則天仍被尊為「大聖皇帝」，她又下詔，明年仍開女科，並命前科百名才女重赴「紅文宴」。

一段傑出的篇章

昔曹大家《女誡》云：「女有四行：一曰婦德，二曰婦言，三曰婦容，四曰婦功。」此四者，女人之大節而不可無者也。今開卷為何以班昭《女誡》作引？蓋此書所載雖閨閣瑣事，兒女閒情，然如大家所謂四行者，歷歷有人：不惟金玉其質，亦且冰雪為心。非素日恪遵《女誡》，敬守良箴，何能至此。豈可因事涉杳渺，人有妍媸，一併使之泯滅？故於燈前月夕，長夏餘冬，濡毫戲墨，匯為一編；其賢者彰之，不肖者鄙之；女有為女，婦有為婦。

——《鏡花緣》

一分鐘感悟

1. 人無貴賤之分，花有同惜之心。
2. 能夠再醒過來，即使漫長，也不要理會睡了多少天。
3. 有誰真的不怕死呢？不過，生命有始必有終，這是人生的定律，沒有人可以改變的。能夠在短暫的一生中找到一生的摯愛，我已經死而無憾了。

一個人的歷史

李汝珍（約西元1763年-約西元1830年），字松石，號松石道人，直隸大興（今北京）人，清代文人，所以人稱「北平子」，博學多才，精通文學、音韻等，小說《鏡花緣》是他的代表作。

一點賞析的建議

《鏡花緣》選取了《山海經》中的《海外西經》、《大荒西經》的一些材料，經過作者的再創造，憑藉豐富的想像，運用誇張、隱喻、反襯等手法，創造出了一部煌煌巨著，小說裡面人物眾多，故事奇異，可有選擇性的閱讀。

《桃花扇》
清 孔尚任

一句話點評

《桃花扇》是「生花之妙筆，寫亡國之痛史」。

——梁啟超

一口氣速讀

《桃花扇》是清初作家孔尚任經十餘年苦心經營，三易其稿寫出的一部傳奇劇本，共有四十四出，通過男女主人公侯方域和李香君的愛情故事反映明末南明滅亡的歷史劇。所謂「借離合之情，寫興亡之感，實事實人，有憑有據。」當時清初正是考據學極盛時期，影響了作者忠於歷史的態度，劇本中絕大部分人物是真人真事，劇本所寫的一年中重大歷史事件甚至考證精確到某月某日，但由於並不是歷史書籍，劇中加入了一些虛構的故事情節以及人物感情刻畫，從深度和廣度反映現實，並且有很高的藝術表現力，是一部對後來影響很深的歷史劇。

明代末年，曾經是明朝改革派的「東林黨人」在南京重新組織「復社」，和曾經專權的太監魏忠賢餘黨、已被罷官的阮大鋮鬥爭。復社文人、河南名士侯方域在南京避亂，聞知秦淮名妓李香君「妙齡絕色，平康第一」，就非常想結識。姦臣馬士英的妹丈楊龍友得知此事，向魏忠賢的餘孽阮大鋮獻計，要他幫助侯方域出妝奩酒席之資，以拉攏侯方域，希望侯方域為阮大鋮說情，讓復社領袖陳貞慧、吳應箕不要再和阮大鋮作對。

侯方域與秦淮名妓李香君見面，兩人一見鍾情。阮大鋮匿名託人贈送豐厚妝奩以拉攏侯方域，被李香君知道後堅決退回。阮大鋮懷恨在心。不久，寧南侯左良玉因缺少軍餉，移兵就食南京。楊龍友請侯方域以其父（左良玉之師）名義寫書勸止左良玉，並使柳敬亭遞書前去。阮大鋮藉此機會，誣陷侯方域「勾結左良玉作亂」，迫使其投奔史可法。

阮大鋮與馬士英擁立朱由崧為弘光帝。弘光帝即位後，起用阮大鋮、馬士英等人，阮趁機報復復社黨人，並強將李香君許配給田仰。李香君堅決不從，倒地撞頭，血噴滿地，連侯方域送給她的定情詩扇都濺上了血。還是她的養母李貞麗冒名替她去嫁了田仰，才算解圍。後來楊龍友就扇子上的血跡畫成了一株桃花，香君託教她唱曲的蘇昆生把這把扇子送交侯方域，請他早日回來與她重聚。

侯方域返回南京，正值馬士英、阮大鋮大肆搜捕復社黨人，他和陳貞慧、吳應箕一起被捕入獄，根本未能和香君見面。這時李香君也被阮大鋮選送入宮，充當歌妓。在宮中，香君仍堅持自己的氣節，決心「做個女彌衡，撾漁陽」。她借機在宴會之上大罵禍國殃民的姦臣，最後被軟禁在宮中。

不久，清兵南下南京失陷，權貴們倉皇逃遁。侯方域乘機出獄，隨張瑤星住在棲霞山，香君也得以從宮中逃脫隨人入山。侯方域、李香君二人在棲霞山白雲庵相遇。由於國破家亡，在張瑤星的指點下割斷情根，雙雙「修真學道」了。

一段傑出的篇章

（末）阿呀！香君氣性，忒也剛烈。（小旦）把好好東西，都丟一地，可惜，可惜！（拾介）（生）好，好，好！這等見識，我倒不如，真乃侯生畏友也。（向末介）老兄休怪，弟非不領教，但恐為女子所笑耳。

【前腔】

（生）平康巷，他能將名節講；偏是咱學校朝堂，偏是咱學校朝堂，混賢奸不問青黃。那些社友平日重俺侯生者，也只為這點義氣；我若依附姦邪，那時群起來攻，自救不暇，焉能救人乎。節和名，非泛常；重和輕，須審詳。

（末）圓老一段好意，也還不可激烈。（生）我雖至愚，亦不肯從井救人。（末）既然如此，小弟告辭了。（生）這些箱籠，原是阮家之物，香君不用，留之無益，還求取去罷。（末）正是「多情反被無情惱，乘興而來興盡還。」（下）（旦惱介）（生看旦介）俺看香君天姿國色，摘了幾朵珠翠，脫去一套綺羅，十分容貌，又添十分，更覺可愛。（小旦）雖如此說，舍了許多東西，到底可惜。

【尾聲】

金珠到手輕輕放，慣成了嬌癡模樣，辜負俺辛勤做老娘。（生）些須東西，何足掛念，小生照樣賠來。（小旦）這等才好。（小旦）花錢粉鈔費商量，（旦）裙布釵荊也不妨。（生）只有湘君能解佩，

（旦）風標不學世時妝。

——《桃花扇》

一分鐘感悟

1. 平生自有堅貞性，得罪他們難為生。
2. 俺曾見，金陵玉樹鶯聲曉，秦淮水榭花開早，誰知道容易冰消！
3. 人生如幻如夢境，天外飛來心上人。睜開倦眼仔細認……猛不想夢裡竟成真。

一個人的歷史

孔尚任（西元1648年-西元1718年），字聘之，號東塘，自稱雲亭山人，山東曲阜人，孔子六十四代孫，清代大劇作家。孔尚任少年時中過秀才，此後長期隱居在曲阜北石門山中。康熙二十四年，康熙途經曲阜入孔廟祭奠，孔尚任主持祭祀大典受賞識，被任命為國子監博士，後來又晉升戶部主事、戶部員外郎。在這期間，他曾多次奉命視察淮河，對江淮一帶的歷史文化、風土人情有較深的瞭解，這些都為他創作《桃花扇》累積了知識基礎。康熙三十八年，《桃花扇》上演，轟動一時。不久，他被罷官，在家鄉曲阜度過了晚年。孔尚任除《桃花扇》外，還著有《小忽雷》傳奇和詩文集《湖海集》、《岸堂文集》、《長留集》等。

一點賞析的建議

《桃花扇》巧妙地將愛情與政治糅合在一起，以一柄桃花扇貫穿始終，通過贈扇、題扇、玩扇、畫扇、寄扇、撕扇等情節，展示侯方域、李香君的合、離、合，同時又突破了傳統的大團圓結局，二人最後被道士點化，共同出家，使全域思想更為深刻，藝術更富創造力。在全部結構中起重要作用的人物是老贊禮，通過老贊禮把整個戲劇連貫起來，並隨時指點，引導人們去認識歷史、認識生活，這個人物在很大程度上是作者自己思想性格的體現。

讀者在閱讀的時候應該思考以下問題，侯方域和李香君的愛情是如何捲入到明末政治鬥爭中去的，國破家亡為什麼不能成全侯、李的兒女之情。

《紅樓夢》
清 曹雪琴

一句話點評

在古今中外眾多的長篇小說中，《紅樓夢》是一顆璀璨的明珠，是狀元。中國其它長篇小說都沒能成為「學」，而「紅學」則是顯學。

——季羨林

一口氣速讀

《紅樓夢》，原名《石頭記》，是中國的一部古典長篇章回小說，原本共一百二十回，但後四十回失傳。現今學界普遍認為通行本前八十回為曹雪芹所作，後四十回不知為何人所作。但普遍認為是高鶚所作，另有一說是高鶚、程偉元二人合作著續。

《紅樓夢》是中國古代文學中最優秀的、具有鮮明傾向性的一部長篇小說。最初的創作時間約為一七四四年，它問世不久，就引起人們濃厚的興趣，被北京的士紳之家爭相傳抄，居為奇貨，要幾十兩銀子才能買到，到嘉慶開始盛行，出現了「遍於海內，家家傳閱，處處爭購」的局面，以至在京城流傳著「開談不說《紅樓夢》，縱讀詩書也枉然！」的竹枝詞。同時，出現了大量的續作如《後紅樓夢》、《紅樓補》、《紅樓復夢》、《紅樓圓夢》等。對《紅樓夢》的研究，兩百多年來一直未斷，成為一門專門的學問——紅學，這在中國文學史上是罕有的現象。

《紅樓夢》以貴族家庭的興衰為主軸，不過此書最為人所熟知的是賈寶玉和林黛玉及薛寶釵之間的愛情故事。

女媧煉石補天，剩一塊石未用。這補天頑石（通靈寶玉）經過修煉已經有了靈性。一僧一道攜它變幻為美玉帶入塵世。神瑛侍者對一株絳珠仙草有澆灌之恩，又動了凡心下凡遊曆人間。絳珠仙草後修煉成女體，聞訊亦隨之下凡，打算把一生所有的眼淚還他。僧道二人欲了結這段公案，並將石頭（通靈寶玉）夾帶其中。

元宵時節，霍啟不慎丟失了英蓮。葫蘆廟失火禍及甄家，落魄的甄士隱被一僧一道點化，解出《好了歌》出家。窮困的賈雨村反而由貧入官。賈府是金陵四大家族之一，受有功勳，分為寧榮二府，族中最長者為賈母，最疼生來口中就含有一塊通靈寶玉（補天頑石）的孫兒賈寶玉（神瑛侍者）。賈寶玉生來不喜讀聖賢書，卻愛與青春女性玩耍，為此與其父賈政關係緊張。林黛玉（絳珠仙草）此時入居賈府。寶玉和黛玉兩人第一次見面就有似曾相識之感，當寶玉見美若天仙的表妹沒有玉，便一怒之下要砸自己的玉，引起一場不快。不久，王夫人的姐姐帶著兒子薛蟠和女兒薛寶釵也在賈府住下。這薛寶釵曾得癩頭和尚贈予金鎖治病，以後一直佩戴。

賈政的長女元春被冊封為妃，皇帝恩准她探家。榮國府為了迎接這場大典，修建了極其奢華的大觀園，又採辦了女伶、女尼、女道士，出身世家、因病入空門的妙玉也進了榮國府。元宵之夜，元春回家呆了一會兒，要寶玉和眾姐妹獻詩。寶玉的丫鬟襲人規勸寶玉讀書「幹正事」。

寶玉和黛玉，兩小無猜，情意綿綿，因寶釵和其它小事，常常發生爭吵，但在不斷地爭吵中情感也不斷在加深。一日寶釵過生日，大家一起聽戲，一個小旦長得像黛玉，被賈母娘家孫女史湘雲口快說出，寶玉怕黛玉生氣連忙阻攔，結果惹得林黛玉和史湘雲都生寶玉的氣。

王夫人的丫鬟金釧與寶玉調笑，被王夫人趕出投井而死。寶玉結交了一位王爺喜歡的伶人，因其失蹤，王爺派人來賈府尋找。賈政大怒，將賈寶玉打得皮開肉綻，賈府上下一片驚慌。王夫人找襲人，要她隨時彙報寶玉的情況，並決定將來讓襲人給寶玉做妾。

在探春的宣導下，大觀園成立詩社。行酒令時黛玉引了幾句《西廂記》的曲文，被寶釵察覺，並寬容了她，兩人關係轉好。黛玉模仿〈春江花月夜〉寫出了〈秋窗風雨夕〉，抒發自己的哀愁。黛玉丫鬟紫鵑試探寶玉對黛玉的真心，假說黛玉要回姑蘇，寶玉信以為真而精神失常。由此，黛玉更知寶玉心理，眾人也以為他們定成美滿姻緣。釵黛二人也達到最融洽的時期。

寶玉另一丫鬟晴雯被王夫人趕出，抱恨而死；寶玉無可奈何，寫〈芙蓉誄〉祭她。寶玉年紀漸大，賈政逼他上學。迎春出嫁，寶釵被家事纏繞，大觀園冷清起來。

黛玉思想終身之事無人可求，做噩夢而染重病。因奉承賈母的意思，鳳姐提出為寶玉娶寶釵的想法。黛玉聽見丫鬟議論寶玉的婚事，病得不能吃飯；後來聽說議而未成，病有好轉。

十月裡，海棠開花，大家以為喜事，置酒慶賀，就在夜裡，寶玉的通靈玉不知去向，人也癡呆，禍不單行，元春此時死去。

由賈母做主，決定為寶玉娶寶釵，怕寶玉不同意，告訴他娶的是黛玉，同時不讓黛玉知道消息。黛玉從傻大姐處知道實情，夢幻破滅，焚燒詩稿；在寶玉成親時，她孤苦而死。

洞房之夜，寶玉見是寶釵，大驚，人也更加糊塗，憂傷得差點死去。

探春遠嫁之後，大觀園更加淒清。榮寧兩府種種行為惹惱皇帝，終於被抄家，革去兩府世職。由於權貴的幫助，榮府世職恢復。不久，賈母病死，鳳姐主辦喪事，因大家怨恨而力不從心死去。一群強盜打劫榮國府，妙玉被劫走，惜春看破紅塵，小小年紀出家。

寶玉別王夫人寶釵等人離去。邢夫人等人要賣巧姐，平兒和巧姐同去劉姥姥莊上避難。寶玉考試中途失蹤。探春回家。寶玉、賈蘭中舉。賈府復官。賈政去金陵安葬賈母，聞喜訊回京，寶玉隨僧道而去。香菱難產而死，襲人嫁蔣玉菡。雨村遇士隱，歸結紅樓夢。

一段傑出的篇章

寶玉聽了，喜不自禁，笑道：「待我放下書，幫你來收拾。」黛玉道：「什麼書？」寶玉見問，慌的藏了，便說道：「不過是《中庸》、《大學》。」黛玉道：「你又在我跟前弄鬼。趁早兒給我瞧瞧，好多著呢！」寶玉道：「妹妹，要論你，我是不怕的。你看了，好歹別告訴人。真是好文章！你要看了，連飯也不想吃呢！」一面說，一面遞過去。黛玉把花具放下，接書來瞧，從頭看去，越看越愛，不頓飯時，已看了好幾齣了。但覺詞句警人，餘香滿口。一面看了，只管出神，心內還默默記誦。寶玉笑道：「妹妹，你說好不好！」黛玉笑著點頭兒。寶玉笑道：「我就是個『多愁多病的身』，你就是那『傾國傾城的貌』。」黛玉聽了，不覺帶腮連耳的通紅了，登時豎起兩道似蹙非蹙的眉，瞪了一雙似睜非睜的眼，桃腮帶怒，薄面含嗔，指著寶玉道：「你這該死的，胡說了！好好兒的，把這些淫詞豔曲弄了來，說這些混帳話，欺負我。我告訴舅舅、舅母去！」——說到「欺負」二字，就把眼圈兒紅了，轉身就走。

寶玉急了，忙向前攔住道：「好妹妹，千萬饒我這一遭兒罷！要有心欺負你，明兒我掉在池子裡，叫個癩頭黿吃了，去變個大忘八，等你明兒做了『一品夫人』病老歸西的時候兒，我往你墳上替你馱一輩子碑去。」說的黛玉嗤的一聲笑了，一面揉著眼，一面笑道：「一般唬的這麼個樣兒，還只管胡說。——呸！原來也是個『銀樣蠟槍頭』！」寶玉聽了，笑道：「你說說，你這個呢？我也告訴去。」黛玉笑道：「你說你會『過目成誦』，難道我就不能『一目十行』了！」寶玉一面收書，一面笑道：「正經快把花兒埋了罷，別提那些個了。」二人便收拾落花。

——《紅樓夢》

一分鐘感悟

1. 機關算盡太聰明，反誤了卿卿性命。
2. 世事洞明皆學問，人情練達即文章。
3. 千里搭長篷，沒有不散的宴席。
4. 假作真時真亦假，無為有處有還無。
5. 遠富近貧以禮相交天下少，疏親慢友因財而散世間多。
6. 若說沒奇緣，今生偏又遇著他；若說有奇緣，如何心事終虛化。

一個人的歷史

曹雪芹（約西元1715年-約西元1763年），名霑，字夢阮，號雪芹。清代小說家，著名文學家，祖籍遼陽，先世原是漢人，明末入滿洲籍。他的祖先隨清兵入關，立有軍功，得到寵幸，三世襲江寧織造，前後達六十餘年。康熙六次南巡，四次住在曹家。雍正繼位後，曹家開始失勢，雍正五年（西元1727年）被革職抄家。曹雪芹生長在南京，在繁盛榮華的家境中度過少年時代。十四歲時隨全家遷回北京。回京後境遇潦倒，生活艱難。晚年移居北京西郊，生活更加貧窮，但他以頑強的毅力專心致志地從事《紅樓夢》的創作和修訂。乾隆二十七年（西元1762年）幼子夭亡，過度的憂傷和悲痛使他臥病不起，貧病交加離開人世，僅留下一部未完成的曠世奇書。

《紅樓夢》最初以八十回抄本形式在社會上流傳，本名《石頭記》，現行《紅樓夢》一百二十回，後四十回，為高鶚所補。高鶚（西元1738年-西元1815年），字蘭墅，祖籍遼東，屬漢軍鑲黃旗，乾隆六十年（1795年）進士，官至翰林院侍讀。乾隆五十六年（1791年）和五十七年（1792年），他將《紅樓夢》前八十回和後四十回合為一個完整的故事，結束了《紅樓夢》的傳抄時代，使《紅樓夢》得到廣泛的傳播。

一點賞析的建議

《紅樓夢》先以寶、黛、釵三人的故事為線索，再擴充到家族命運的轉變。這部巨著雖然虛構朝代、地點，而且假借了女媧補天的神話作為故事的因源，卻不經意中反映了清帝國下貴族的生活紀實，並且反映出當時的社會生活、婚喪祭祀制度，乃至服裝穿戴、飲食藥膳、建築亭閣、園林造景、舟車行轎等等層面，全書中有很多關於佛教、道教、儒家思想的描寫與戲謔。因此讀者在閱讀的時候，不僅只關注小說的情節，還要瞭解《紅樓夢》的寫作背景以及它的文學藝術性。

《聊齋誌異》
清 蒲松齡

一句話點評

《聊齋誌異》中花妖狐魅，多具人情，和藹可親，忘為異類，而偶見鶻突，知復非人。

——魯迅

一口氣速讀

《聊齋誌異》是蒲松齡的代表作，在他四十歲左右已基本完成，此後不斷地有所增補和修改。「聊齋」是他的書屋名稱，「志」是記述的意思，「異」指奇異的故事。全書有短篇小說四九一篇，題材非常廣泛，內容極其豐富。

《聊齋誌異》是一部具有獨特思想風貌和藝術風貌的文言短篇小說集。多數小說是通過幻想的形式談狐說鬼，但內容卻深深地紮根於現實生活的土壤之中，曲折地反映了蒲松齡所生活的時代的社會矛盾和人民的思想願望，鎔鑄進了作家對生活的獨特的感受和認識。但其中也夾雜著一些封建倫理觀念和因果報應的宿命論思想。

蒲松齡在《聊齋自志》中說：「集腋為裘，妄續幽冥之錄；浮白載筆，僅成孤憤之書。寄託如此，亦足悲矣！」在這部小說集中，作者是寄託了他從現實生活中產生的深沉和孤憤。因此我們不能只是看《聊齋誌異》奇異有趣的故事，當作一本消愁解悶的書來讀，而應該深入地去體會作者寄寓其中的愛和恨，悲憤和喜悅，以及產生這些思想感情的現實生活和深刻的歷史內容。

一段傑出的篇章

寧采臣，浙人，性慷爽，廉隅自重。每對人言：「生平無二色。」適赴金華，至北郭，解裝蘭若。寺中殿塔壯麗，然蓬蒿沒人，似絕行蹤。東西僧舍，雙扉虛掩，惟南一小舍，扃鍵如新。又顧殿東隅，修竹拱把，階下有巨池，野藕已花。意甚樂其幽杳。會學使案臨，城舍價昂，思便留止，遂散步以待僧歸。日暮有士人來啟南扉，寧趨為禮，且告以意。士人曰：「此間無房主，僕亦僑居。能甘荒落，旦暮惠教，幸甚！」甯喜，藉槁代床，支板作幾，為久客計。是夜月明高潔，清光似水，二人促膝殿廊，各展姓字。士人自言燕姓，字赤霞。寧疑為赴試者，而聽其音聲，殊不類浙。詰之，自言秦人，語甚樸誠。既而相對詞竭，遂拱別歸寢。

寧以新居，久不成寐。聞舍北喁喁，如有家口。起，伏北壁石窗下微窺之，見短牆外一小院落，有婦可四十餘；又一媼衣？緋，插蓬沓，鮐背龍鍾，偶語月下。婦曰：「小倩何久不來？」媼曰：「殆好至矣。」婦曰：「將無向姥姥有怨言否？」曰：「不聞；但意似蹙蹙。」婦曰：「婢子不宜好相識。」言未已，有十七八女子來，彷彿豔絕。媼笑曰：「背地不言人，我兩個正談道，小妖婢悄來無跡響，幸不訾著短處。」又曰：「小娘子端好是畫中人，遮莫老身是男子，也被攝去。」女曰：「姥姥不相譽，更阿誰道好？」婦人女子又不知何言。

寧意其鄰人眷口，寢不復聽；又許時始寂無聲。

方將睡去，覺有人至寢所，急起審顧，則北院女子也。驚問之，女笑曰：「月夜不寐，願修燕好。」寧正容曰：「卿防物議，我畏人言。略一失足，廉恥道喪。」女云：「夜無知者。」寧又咄之。女逡巡若復有詞。寧叱：「速去！不然，當呼南舍生知。」女懼，乃退。至戶外忽返，以黃金一錠置褥上。寧掇擲庭墀，曰：「非義之物，污我囊橐！」女慚出，拾金自言曰：「此漢當是鐵石。」

——《聊齋誌異・寧采臣》

一分鐘感悟

1. 一人二人，有心無心。
2. 家計若此，何以聊生？
3. 智者不必仁而仁者則必智。
4. 癡則其志凝，故書癡者文必工，藝癡者技必良。

一個人的歷史

蒲松齡（西元1640年-西元1715年），字留仙，一字劍臣，別號柳泉居士。山東淄川（今淄博市淄川區）人，世稱「聊齋先生」，馬瑞芳稱他是「世界短篇小說之王」。

蒲松齡出生於一個逐漸敗落的中小地主兼商人家庭。十九歲應童子試，接連考取縣、府、道三個第一，名震一時。補博士弟子員。以後屢試不第，直至七十一歲時才成歲貢生。為生活所迫，他除了應同邑人寶應縣知縣孫蕙之請，為其做幕賓數年之外，主要是在本縣西鋪村畢際友家做塾師，舌耕筆耘，近四十二年，直至六十一歲時方撤帳歸家。

一點賞析的建議

《聊齋誌異》的藝術成就很高。它成功的塑造了眾多的藝術典型，人物形象鮮明生動，故事情節曲折離奇，結構佈局嚴謹巧妙，文筆簡練，描寫細膩，堪稱中國古典短篇小說的高峰。讀者在閱讀時要注意《聊齋誌異》中狐鬼花妖的人情化，並思考為什麼蒲松齡筆下大多數的狐鬼花妖是善的、美的，這與作者所處的社會現實及作者的理想有什麼關係。

《儒林外史》
清 吳敬梓

一句話點評

《儒林外史》摹繪世故人情，真如鑄鼎象物，魑魅魍魎，畢現尺幅；而復以數賢人砥柱中流，振興世教。其寫君子也，如睹道貌，如聞格言；其寫小人也，窺其肺腑，描其聲態，畫圖所不能到者，筆乃足以達之。

——清朝惺園退士

一口氣速讀

《儒林外史》是由清代吳敬梓創作的一部偉大的現實主義的長篇諷刺小說（也稱章回小說）。全書約四十萬字，描寫了近兩百個人物，小說假託明朝，實際描寫了康乾時期科舉制度下讀書人的功名和生活。

全書故事情節雖沒有一個主幹，可是有一個中心貫穿其間，那就是反映科舉制度和封建禮教的毒害，諷刺因熱衷功名富貴而造成的極端虛偽、惡劣的社會風習。以下幾個例子可窺一斑。

周進屢試不第，在山東袞州府汶上縣薛家集一所蒙館教課糊口。新中的年輕秀才梅玖當面嘲笑他，舉人王惠輕慢他，薦館的夏總甲嫌他不常去奉承，村人也嫌他呆頭呆腦，他因而連這只「破碗」也端不住了，只能跟著姐夫金有餘去買貨。一次，偶去省城「貢院」觀光，那是專門舉行鄉試的場所，他觸景生情，只覺無限辛酸，委屈得「一頭撞在號板上，直僵僵不省人事」。眾人不忍，湊錢幫他捐了個監生入場應考，不想居然中了，旁人阿諛拍馬且不說，他居然自此官運亨通，三年內升了御史，欽點廣東學道。他吃足科舉之苦，當了權後覺得要細細看卷，不致屈了真才才好。

老童生范進，應考二十餘次，總是進不了學。此番應試，適逢周學道主考，出於同病相憐，填了他第一名。范進求官心切，不顧岳父胡屠戶的臭　，繼續又去城裡參加鄉試，誰知中了舉人。范進得知中舉消息，欣喜若狂，兩手一拍，不省人事，被他岳父一記巴掌，方始打得醒過神來。這范進中舉以後，有送田地的，有送店房的，有投身為僕以圖蔭庇的，趨炎附勢，不一而足。三兩個月光景，家奴、丫鬟都有了，錢、米更不消說，樂極生悲，卻把個老母活脫脫喜死，而「七七之期」一過，他便急著和張舉人一起奔赴各地去打秋風了。

嚴貢生是個品德惡劣的儒生。他霸佔窮人的豬，賴掉船家的工錢，還欺負守寡的弟媳，強送兒子「過繼」給弟媳，奪得其弟嚴監生遺產的十分之七左右。他的德行還比不上一個唱戲的優伶。鮑文卿和倪廷璽兩人雖是戲子，但廷璽過繼給鮑文卿倒是出於真心。倪廷璽改名鮑廷璽後，甚是聰明伶俐。他乘杜慎卿做勝會之機，請求賜些銀兩，讓他拉扯一個戲班子起來。杜慎卿將他介紹給堂弟杜少卿，從少卿那裡得了一百兩銀子，他便自去搭班營生了。

《儒林外史》全書五十六章，由許多個生動的故事聯起來，這些故事都是以真人真事為原型塑造的。全書的中心內容，就是抨擊僵化的考試制度和由此帶來的嚴重社會問題。這樣的思想內容，在當時無疑是有其重大的現實意義和教育意義的。加上準確、生動、簡練的白話語言，栩栩如生的人物形象塑造，優美細膩的景物描寫，出色的諷刺手法，藝術上也獲得了巨大的成功。

一段傑出的篇章

馬二先生獨自一個，帶了幾個錢，步出錢塘門，在茶亭裡吃了幾碗茶，到西湖沿上牌樓跟前坐下。見那一船一船來燒香的鄉下婦女，都梳著挑鬢頭，有穿藍的，也有穿青綠衣裳的，年紀小的都穿些紅綢單裙子；也有模樣生得好些的，都是一個大團白臉，兩個大高顴骨，也有許多疤、麻、疥、癩的。一頓飯時，就來了有五六船。那些女人後面都跟著自己的漢子，掮著一把傘，手裡拿著一個衣包，上了岸，散往各廟裡去了。馬二先生看了一遍，不在意裡，起來又走了里把多路。望著湖沿上接連著的幾個酒店，掛著透肥的羊肉，櫃檯上的盤子裡盛著滾熱的蹄子、海參、糟鴨、鮮魚，鍋裡煮著餛飩，蒸籠上蒸著極大的饅頭。馬二先生沒有錢買了吃，喉嚨裡咽唾沫，只得走進一個麵店，十六個錢吃了一碗麵。肚裡不飽，又走到間壁一個茶室吃了一碗茶，買了兩個錢處片嚼嚼，倒覺得有些滋味。吃完了出來，看見西湖沿上柳陰下繫著兩隻船，那船上女客在那裡換衣裳：一個脫去元色外套，換了一件水田披風；一個脫去天青外套，換了一件玉色繡的八團衣服；一個中年的脫去寶藍緞衫，換了一件天青緞二色金的繡衫。那些跟從的女客，十幾個人，也都換了衣裳。這三位女客，一位跟前一個丫鬟，手持黑紗團香扇替她遮著日頭，緩步上岸。那頭上珍珠的白光，直射多遠，裙上環佩丁丁當當的響。馬二先生低著頭走了過去，不曾仰視。往前走過了六橋，轉了個彎，看去便像些村鄉地方，又有人家的棺材厝基，中間走了一二里路，走也走不清，甚是可厭。

——《儒林外傳》

一分鐘感悟

1. 錢到公事辦，火到豬頭爛。
2. 三年清知府，十萬雪花銀。
3. 見義不為，是為不勇。
4. 秀才人情紙半張。

一個人的歷史

吳敬梓（西元1701年-西元1754年），字敏軒，一字粒民，，因家有「文木山房」，所以晚年自稱「文木老人」，又因自家鄉安徽全椒移至江蘇南京秦淮河畔，故又稱「秦淮寓客」，清朝現實主義作家。

吳敬梓出身於歷代顯赫的官宦之家，十八歲中秀才，乾隆元年（西元1735年）安徽巡撫薦應博學鴻詞，他託病不就。生平除著有《儒林外史》外，尚有《文木山房集》。《儒林外史》所表現的正是吳敬梓親身所歷所聞，也寄託了他看重文行出處、鄙視功名富貴的高尚情操。

一點賞析的建議

制度的僵化使原本活潑潑的生命發生了變異，仔細閱讀《儒林外史》感受心靈遭到腐朽制度扭曲的可怕，加深認識科舉制度在封建社會末期日趨僵化的現實。

《老殘遊記》
清 劉鶚

一句話點評

摘發所謂清官之可恨，或尤甚於贓官，言人所未嘗言，雖作者亦甚自喜。

——魯迅

一口氣速讀

《老殘遊記》被魯迅稱為「清末四大譴責小說」之一。歷來小說有揭露贓官之惡的，《老殘遊記》的不同在於專門揭露清官之惡。

有位遊客，三十多歲，江南人，姓鐵名英，號補殘，別號老殘。他曾拜了一個搖串鈴的道士為師，學了幾句口訣，自己便也搖起串鈴，以替人治病糊口，奔走江湖近二十年。有一年，他治好了一個黃姓大戶的疑難病症，受到了黃家盛情款待。一天酒足飯飽，老殘做了一個夢：夢見有條破輪船在洪波巨浪裡顛簸，很危險。他和兩位摯友乘小船為大船的舵手送方向盤等。大船上的水手在乘客中亂竄、搜身，甚至殺人拋下海去。他們三人在水手們一陣咆哮和全船的震怒下，逃回小船，卻被大船上的人擊沉入海。黃大戶病好後，老殘和他告辭，前往濟南大明湖去看風景。

在這裡，老殘醫治好了衙門中做機要幕賓的高紹殷之妾的病，因而名聲大噪。老殘道聽塗說有關曹州玉賢的「政績」，準備親自「考察」一下。在高紹殷的舉薦下，山東巡撫召見老殘並授予官職，請教他治理黃河的策略，老殘推辭不掉，就在半夜離開濟南，奔赴曹州。

一路上，老殘聽到了玉賢辦案的不少「政績」，然而這些「政績」裡，卻有無辜百姓成為玉賢酷刑的犧牲品，而玉賢因此卻被山東巡撫加銜晉升。老殘十分氣憤，決定去省城為民伸冤。路上因黃河冰凍不化，滯留在齊河縣，遇上好友監察御史黃人瑞。經黃人瑞介紹和撮合，老殘用幾百兩銀子，從火炕中救出妓女翠環並納為妾。從翠環那裡又知道了一些黃河為害的嚴重和地方官吏不顧百姓死活的情況。

老殘從黃人瑞口中得知齊河縣有個清廉的縣官名叫剛弼，這個人也和玉賢一樣，剛愎自用，主觀斷案，百姓有冤無處伸。齊河縣東北有個齊東鎮，有一戶人家，五十多歲的賈老翁，有二男一女。大兒子三十多歲病死，留下媳婦賈魏氏。二兒子也成了家，只有十九歲的小女兒還沒有出嫁。大兒子去世後，大媳婦經常回娘家，娘家只有老爹一人。這一天，賈魏氏又回了娘家。這邊賈家十三口卻平白無故猝然死去。剛弼不問青紅皂白就把魏家父女二人關入大牢，還動刑逼供。魏家管事的為救主人，拿了上千兩銀子到衙內求情。剛弼設下圈套收了銀兩為憑據，以賄賂官府、以錢抵命的罪名，對魏家父女動用嚴刑。賈魏氏不忍父親受刑，就屈打成招。剛弼很是得意，準備了結此案。

無辜的魏家父女又要慘死在剛弼手下。老殘火速寫信給山東巡撫，請省城另派高明前來審案。結果老殘的一封信，救活了兩條性命，他心中無比快活。但是，賈家十三口人死因不明，還是疑案，老殘決心搞清真相。他訪藥鋪、拜神甫，東奔西走，幾經周折，才弄清楚，原來是賈老翁女兒的情夫吳二浪子用一種香草「千日醉」給害死的。其實這不是毒藥，只是活人吃了就像死人一樣。千日之內若尋來另一種藥草「還魂草」，這些人仍可復活。老殘讓官府將吳二浪子押入監牢，然後他親自可往泰山尋「還魂草」。賈家十三口又活了過來。從此，魏家一案了結，巡撫批吳二浪子監禁三年。賈、魏兩家都很感激老殘，視老殘為救命恩人，各送三千兩銀子酬謝，老殘卻分毫不收。兩家只好招來戲班子，大擺宴席款待老殘。老殘沒有久留，帶著翠環離開齊河縣，回江南老家了。

一段傑出的篇章

正在熱鬧哄哄的時節，只見那後臺裡，又出來了一位姑娘，年紀約十八九歲，裝束與前一個毫無分別，瓜子臉兒，白淨面皮，相貌不過中人以上之姿，只覺得秀而不媚，清而不寒，半低著頭出來，立在半桌後面，把梨花簡了當了幾聲，煞是奇怪：只是兩片頑鐵，到他手裡，便有了五音十二律似的。又將鼓捶子輕輕的點了兩下，方抬起頭來，向臺下一盼。那雙眼睛，如秋水，如寒星，如寶珠，如白水銀裡頭養著兩丸黑水銀，左右一顧一看，連那坐在遠遠牆角子裡的人，都覺得王小玉看見我了；那坐得近的，更不必說。就這一眼，滿園子裡便鴉雀無聲，比皇帝出來還要靜悄得多呢，連一根針跌在地下都聽得見響！

王小玉便啟朱唇，發皓齒，唱了幾句書兒。聲音初不甚大，只覺入耳有說不出來的妙境：五臟六腑裡，像熨斗熨過，無一處不伏貼；三萬六千個毛孔，像吃了人參果，無一個毛孔不暢快。唱了十數句之後，漸漸的越唱越高，忽然拔了一個尖兒，像一線鋼絲拋入天際，不禁暗暗叫絕。那知他於那極高的地方，尚能迴環轉折。幾囀之後，又高一層，接連有三四疊，節節高起。恍如由傲來峰西面攀登泰山的景象：初看傲來峰削壁千仞，以為上與天通；及至翻到傲來峰頂，才見扇子崖更在傲來峰上；及至翻到扇子崖，又見南天門更在扇子崖上：愈翻愈險，愈險愈奇。那王小玉唱到極高的三四疊後，陡然一落，又極力騁其千回百析的精神，如一條飛蛇在黃山三十六峰半中腰裡盤旋穿插。頃刻之間，周匝數遍。從此以後，愈唱愈低，愈低愈細，那聲音漸漸的就聽不見了。滿園子的人都屏氣凝神，不敢少動。約有兩三分鐘之久，彷彿有一點聲音從地底下發出。這一出之後，忽又揚起，像放那東洋煙火，一個彈子上天，隨化作千百道五色火光，縱橫散亂。這一聲飛起，即有無限聲音俱來併發。那彈弦子的亦全用輪指，忽大忽小，同他那聲音相和相合，有如花塢春曉，好鳥亂鳴。耳朵忙不過來，不曉得聽哪一聲的為是。正在撩亂之際，忽聽霍然一聲，人弦俱寂。這時臺下叫好之聲，轟然雷動。

一分鐘感悟

1. 在家敬父母，何用遠燒香。
2. 百里不同風，千里不同俗。
3. 攀得高，跌得重。

一個人的歷史

劉鶚（西元1857年-西元1909年），字鐵雲，又字公約，號洪都百鍊生，江蘇丹徒（今鎮江市）人。

劉鶚出身在官僚家庭，對通過科舉博取功名沒有興趣，曾研究過數學、醫學、水利等，年輕時做過醫生和商人。一八八八年河南、山東發生水災，他先後到這兩個省的巡撫處做幕賓，幫助治理黃河，因治河有功，被保薦到總理各國事物衙門，以知府任用。此後，他曾向清政府建議清廷借外債修路和讓西人開礦，因不合時宜，遭到攻擊。劉鶚做官不得志，棄官經商，創辦實業，但全都失敗了。後被清政府以私開太倉之罪發配到新疆，第二年病死。劉鶚根據自己的所見所聞寫成了《老殘遊記》初集二十回、二集九回。

一點賞析的建議

《老殘遊記》是清末譴責小說的代表作。作者筆鋒犀利，在譴責中呈出自己的治國藥方，反映了當時具有憂患意識的知識分子對中國前途的一種設計。作者寫景狀物堪稱一絕，讀者在閱讀時值得仔細欣賞。

《官場現形記》
清 李伯元

一句話點評

《官場現形記》全書無主幹，僅驅使各種人物，行列而來，事與其來俱起，亦與其去俱訖，雖云長篇，頗同短製。

——魯迅

一口氣速讀

《官場現形記》是晚清譴責小說中最有代表性的作品。內容以晚清官場為描寫對象，集中描寫封建社會崩潰時期舊官場的種種腐敗、黑暗和醜惡的情形。這裡既有軍機大臣、總督巡撫、提督道臺，也有知縣典吏、管帶佐雜，他們或齷齪卑鄙或昏聵糊塗或腐敗墮落，構成一幅清末官僚的百醜圖。全書共六十回，結構安排與《儒林外史》相仿，演述一人後即轉入下一人，如此蟬聯而下。

第一、二回寫鄉下才子趙溫中舉，因無人提攜，用銀子捐了個中書。第三回寫與趙溫一同進京的錢典史，投機鑽營，終於謀得一個肥差。第四回寫黃道臺得寵升官，大辦壽宴，忽然前事敗露，又用銀子打通關係，避免查辦。第五回寫何藩臺公開賣官，因和兄弟分贓不均而打起來。第六回寫副將王必魁因和上司失和被認為武藝生疏、不會訓練而降官。第七到十回寫陶子堯憑一篇抄襲的文章而受命督辦洋務，在上海的十里洋場將買機器的錢揮霍一空，卻因官官相護隱瞞了過去。第十一到十三回寫戴大理、周老爺等互相傾軋、陷害。第十四、十五回寫胡統領剿匪將百姓當強盜屠殺。第十六回寫戴大理設計陷害周老爺。第十七回寫周老爺借胡統領貪污兵餉之機進行敲詐。第十八道二十二回寫傅署院外表清廉，實則貪婪，所謂的「整頓吏治」，也是徒有其表。第二十三到二十六回寫賈臬臺的兒子賈大少爺憑周中堂的假信獲得一肥差後如何荒唐胡鬧、行賄鑽營。第二十七回寫王博高用官場關係替同鄉打抱不平。第二十八回寫舒軍門因貪污軍餉一事被同僚揭發下獄。第二十九、三十回寫羊統領等花天酒地，冒得官為了保住官職將自己親生女兒送給羊統領。第三十一回寫田小辮子給制臺上了一個「精彩」的手折，談他的用兵「見解」。第三十二回寫餘藎臣託妓女在上司面前謀差。第三十三、三十四回寫官府借行善名義斂錢的各種虛偽行徑。第三十五、三十六回寫唐二亂子花錢營官。第三十七、三十八回寫湍制臺身邊的女眷如何被人利用來做門路，如瞿耐庵讓自己太太認比她小二十多歲的寶小姐作乾娘。第三十九到四十二回寫瞿耐庵得官後遵從做官「秘訣」大行其道。第四十三到四十五回寫區奉仁連任後如何營私舞弊。第四十六到四十八回寫童欽差如何籌款。第四十九到五十一寫刁邁彭如何算計他人，牟取暴利。第五十二、五十三回寫尹子崇仗岳父之勢偷天換日，將全安徽的礦山賣與洋人。第五十四到五十八回寫一班官員在洋人面前如何奴顏婢膝、昏庸懦弱。第五十九回寫甄學忠憑關係謀劃得美差。第六十回借甄閣學哥哥病中之夢總括全書意旨，幻想將來會是另一個世界。

一段傑出的篇章

原來來拜的洋人非是別人，乃是那一國的領事。你道這領事來拜制臺為的什麼事？原來制臺新近正法了一名親兵小隊。制臺殺名兵丁，本不算得大不了的事情，況且那親兵亦必有可殺之道，所以制臺才拿他如此的嚴辦。誰知這一殺，殺的地方不對：既不是在校場上殺的，亦不是在轅門外殺的，偏偏走到這位領事公館旁邊就拿他宰了。所以領事大不答應，前來問罪。當下見了面，領事氣憤憤的把前言述了一遍，問制臺為什麼在他公館旁邊殺人，是個什麼緣故。幸虧制臺年紀雖老，閱歷卻很深，頗有隨機應變的本領。當下想了一想，說道：「貴領事不是來問我兄弟殺的那個親兵？他本不是個好人，他原是『拳匪』一黨。那年北京『拳匪』鬧亂子，同貴國及各國為難，他都有分的。兄弟如今拿他查實在了，所以才拿他正法的。」領事道：「他既然通『拳匪』，那他正法亦不冤枉。但是何必一定要殺在我的公館旁邊呢？」制臺想了一想，道：「有個原故，不如此，不足以震服人心。貴領事不曉得這『拳匪』乃是扶清滅洋的，將來鬧出點子事情來，一定先同各國人及貴國人為難，就是與貴領事亦有所不利。所以兄弟特地想出一條計來，拿這人殺在貴衙署旁邊，好叫他們同黨瞧著或者有些怕懼。俗話說的好，叫做『殺雞駭猴』，拿雞子宰了，那猴兒自然害怕。兄弟雖然只殺得一名親兵，然而所有的『拳匪』見了這個榜樣，一定解散，將來自不敢再同貴領事及貴國人為難了。」領事聽他如此一番說話，不由哈哈大笑，獎他有經驗，辦得好，隨又閒談了幾句，告辭回去。

——《官場現形記》

一分鐘感悟

1. 有事便長，無話便短。

2. 文章有價，名下無虛。

一個人的歷史

李伯元（西元1867年-西元1906年），名寶嘉，字伯元，號南亭亭長，江蘇常州人，晚清著名的譴責小說家。

李伯元少年時代擅長制藝、詩賦，一八九一年中鄉試第一名秀才。但後來屢試不第，引起他對社會的不滿。一八九六年到上海創辦中國報刊史上最早的小報《指南報》。第二年，他又創辦《遊戲報》。這兩份報紙主要刊載官場笑話、民間趣聞，與當時各報風格迥異，受到小市民和落魄文人的喜愛，開闢了中國消遣性小報的門徑。後又創辦《世界繁華報》，主編《繡像小說》。魯迅曾指出這類小報「命意在於匡世」。一九〇一年後，他寫成了《官場現形記》、《文明小史》、《活地獄》等長篇小說。《官場現形記》是晚清四大「譴責小說」之一。

一點賞析的建議

《官場現形記》在揭露醜惡事物時少了《儒林外史》那種含而不露、輕描淡寫卻入木三分的功力，但卻多了幾分酣暢淋漓的快意。這和《官場現形記》在報紙上連載的形式有關。報紙作為載體要求文字適應一般讀者，類似文化速食。當然，由此也帶來一些誇飾過分的地方，一定程度上影響了諷刺的力量。

在塑造人物形象時，注意利用各種細節描寫，以人物的語言、動作等突出人物性格特徵，利用誇張描述等藝術手法，使讀者如見其人，如聞其聲。每個藝術形象，都從不同角度暴露了統治者的昏聵、腐朽，並以其自身的行為，對統治者進行了嘲諷和譴責。

《二十年目睹之怪現狀》
清 吳沃堯

一句話點評

作者經歷較多，故所敘之族類亦較夥，官師士商，皆著於錄。

——魯迅

一口氣速讀

《二十年目睹之怪現狀》清末長篇小說，也是一部帶有自傳性質的作品，是吳沃堯的代表作。

《二十年目睹之怪現狀》是一部暴露社會黑暗的小說，被譽為晚清四大譴責小說之一。小說以主人公「九死一生」的商業活動為線索，把他的所遇、所見、所聞，以眾多的短小故事連綴而成。小說共一百零八回，描寫了一百八十九件「怪現狀」，從中刻畫了十里洋場的眾生相，用速寫式的筆法，勾勒出瘟官、悍吏、賭徒、狂生、強盜、慣竊、斗方名士、江湖庸醫、紈絝子弟、洋行買辦以及外國冒險家的醜惡嘴臉，給世人展現了一幅漫畫人物的長廊畫卷。尖刻、犀利地揭露了封建官僚家庭的罪惡和道德的淪喪。

一段傑出的篇章

我道：「說起那馬江之敗，近來臺灣改了行省，說的是要展拓生番的地方。頭回我在上海經過，聽得人說，這件事頗覺得有名無實。不知到底是怎麼回事？」繼之道：「便是我這回到省裡去，也聽得這樣說。有個朋友從那邊來，說非但地方弄不好，並且那一位劉省三大帥，自己害了自己。」我道：「這又為何？」繼之道：「那劉省帥向來最恨的是吃鴉片煙，這是那一班中興名將公共的脾氣，惟有他恨的最厲害。凡是屬下的人，有煙癮的，被他知道了，立刻撤差驅逐，片刻不許停留。是他帳下的兵弁犯了這個，還要以軍法從事呢。到了臺灣，瘴氣十分厲害，凡是內地的人，大半都受不住，又都說是鴉片煙可以消除瘴氣，不免要吃幾口，又恐怕被他知道，於是設出一法，要他自己先上了癮。」我道：「他不吃的，如何會上癮？」繼之道：「所以要設法呀。設法先通了他的家人，許下了重謝。省帥向來用長煙筒吃旱煙，叫他家人代他裝旱煙時，偷攙了一個鴉片煙泡在內，天天如是。約過了一個多月，忽然一天不攙煙泡。了，老頭子便覺得難過，眼淚鼻涕，流個不止。那家人知道他癮來了，便乘機進言，說這裡瘴氣重得很，莫非是瘴氣作怪，何不吃兩口鴉片試試看。他哪裡肯吃，說既是瘴氣，自有瘴氣的方子，可請醫生來診治。哪裡禁得醫生也是受了賄囑的，診過了脈，也說是瘴氣，非鴉片不能解。他還是不肯吃。熬了一天，到底熬不過，雖然吃了些藥，又不見功效，只得拿鴉片煙來吃了幾口下肚，便見精神，從此竟是一天不能離的了。這不是害了自己麼？」

——《二十年目睹之怪現狀》

一分鐘感悟

1. 只因我出來應世的二十年中，回頭想來，所遇見的只有三種東西：第一種是蛇蟲鼠蟻；第二種是豺狼虎豹；第三種是魑魅魍魎。

一個人的歷史

吳沃堯（西元1866年-西元1910年），字小允，號繭人，後又改「繭」為「趼」， 筆名有偈、佛、繭叟、繭翁、野史氏、嶺南將叟、中國少年、我佛山人等，筆名中尤以「我佛山人」最為著名，廣東南海佛山鎮人，近代小說家。他創作的小說有三十多種，人稱「小說鉅子」，是清末譴責小說的傑出代表，與李伯元、劉鶚、曾樸合稱晚清四大小說家。其它著名的作品有《新石頭記》、《恨海》、《趼人十三種》等。

吳沃堯拒絕清政府經濟特科的考試，靠賣文為生，一生清貧，去逝時身上僅餘四角小洋，其喪事也是由朋友代為籌措，其遺體先停放在閘北潭子灣廣肇山莊，一厝二十年，直至一九三一年九月二十一日才火化。

一點賞析的建議

作品描寫商界生活，有意把「經商」與「做官」對立起來。「九死一生」堅決不願進入官場，而走「經商」的道路，認為商場雖也有諸多怪現狀，但比官場乾淨。作者一反封建傳統的鄙商態度，表現了作者對腐朽政治的激憤，也反映了思想領域的新變化。

《人間詞話》
清 王國維

一句話點評

近二三十年來，就我個人所讀過的來說，似以王靜安先生的《人間詞話》為最精到。

——朱光潛

一口氣速讀

《人間詞話》是著名國學大師王國維所著的一部文學批評著作，也是中國近代最負盛名的一部詞話著作。他用傳統的詞話形式及傳統的概念、術語和思維邏輯，自然地融進了一些新的觀念和方法，以嶄新的眼光對中國舊文學作出評論，總結的理論問題又具有相當普遍的意義，在當時新舊兩代的讀者中產生了重大反響，王國維的《人間詞話》是晚清以來最有影響的著作之一。

《人間詞話》提出了「境界」說。「境界」說是《人間詞話》的核心，統領其它論點，王國維不僅把它視為創作原則，也把它當作批評標準，論斷詩詞的演變，評價詞人的得失，作品的優劣，詞品的高低，均從「境界」出發。因此，「境界」說既是王國維文藝批評的出發點，又是其文藝思想的總歸宿。他認為，佇興之作，寫情語，寫景物，只要真切不隔，有境界，便是好詞。

在詞的美學觀點方面，王國維一方面受叔本華的影響，一方面又有所突破，他的「無我之境」和「以物觀物」直接承繼了叔本華的哲學觀點

王國維還提出，「理想派」與「寫實派」常常互相結合起來，形成一種新的創作方法。而用這種方法創作出來的藝術境界，則不能斷然定為「理想派」或「寫實派」。自然與理想熔於一爐，「景」與「情」交融成一體，這是上等的藝術境界，只有大詩人才能創造出這種「意與境渾」的境界。

王國維還進一步論說文藝創作必有取捨，有主觀理想的注入。而虛構或理想，總離不開客觀的材料和基本法則。所以，「理想」與「寫實」二者的結合要有充分的客觀根據。現實主義與浪漫主義兩種創作方法相結合也要有其客觀可能性。

一段傑出的篇章

有有我之境，有無我之境。

有我之境：「淚眼問花花不語，亂紅飛過秋韆去。」、「可堪孤館閉春寒，杜鵑聲裡斜陽暮。」

無我之境：「採菊東籬下，悠然見南山。」、「寒波澹澹起，白鳥悠悠下。」

有我之境，以我觀物，故物我皆著我之色彩。無我之境，以物觀物，故不知何者為我，何者為物。古人為詞，寫有我之境者為多，然未始不能寫無我之境，此在豪傑之士能自樹立耳。

——《人間詞話》

一分鐘感悟

1. 古今之成大事業、大學問者，罔不經過三種之境界：「昨夜西風凋碧樹。獨上高樓，望盡天涯路。」此第一境界也。「衣帶漸寬終不悔，為伊消得人憔悴。」此第二境界也。「眾裡尋她千百度，驀然回首，那人卻在，燈火闌珊處。」此第三境界也。此等語皆非大詞人不能道。然遽以此意解釋諸詞，恐為晏歐諸公所不許也。
2. 境界有大小，不以是而分優劣。「細雨魚兒出，微風燕子斜」何遽不若「落日照大旗，馬鳴風蕭蕭」。「寶簾閒掛小銀鉤」何遽不若「霧失樓臺，月迷津渡」也。

一個人的歷史

王國維（西元1877年-西元1927年），字伯隅、靜安，號觀堂、永觀，諡忠愨，浙江嘉興海寧人，國學大師。

王國維與梁啟超、陳寅恪和趙元任號稱清華國學研究院的「四大導師」。中國新學術的開拓者，連接中西美學的大家，在文學、美學、史學、哲學、金石學、甲骨文、考古學等領域成就卓著。王國維精通英文、德文、日文，使他在研究宋元戲曲史時獨樹一幟，成為用西方文學原理批評中國舊文學的第一人。王國維著述頗豐，有《海寧王靜安先生遺書》、《紅樓夢評論》、《宋元戲曲考》、《人間詞話》、《觀堂集林》、《古史新證》、《曲錄》、《殷周制度論》、《流沙墜簡》等六十二種。

一點賞析的建議

《人間詞話》作為詩歌賞析的經典之作，王國維以其對詩歌敏銳的觸覺，細膩的感覺，完美的詮釋了古代優秀詩歌的風采。閱讀時要認真體會詞話的美學修養和其中的意境、哲理。

昌明文庫·閱讀國學　A0602001

一口氣讀完百部中國名著　上冊

編　　著　李志敏
責任編輯　蔡雅如

發 行 人　陳滿銘
總 經 理　梁錦興
總 編 輯　陳滿銘
副總編輯　張晏瑞
編 輯 所　萬卷樓圖書股份有限公司
排　　版　菩薩蠻數位文化有限公司
印　　刷　百通科技股份有限公司
封面設計　菩薩蠻數位文化有限公司

出　　版　昌明文化有限公司
桃園市龜山區中原街 32 號
電話　(02)23216565
發　　行　萬卷樓圖書股份有限公司
臺北市羅斯福路二段 41 號 6 樓之 3
電話　(02)23216565
傳真　(02)23218698
電郵　SERVICE@WANJUAN.COM.TW
大陸經銷
廈門外圖臺灣書店有限公司
電郵　JKB188@188.COM

ISBN 978-986-94911-3-6
2018 年 1 月初版二刷
2017 年 5 月初版
定價：新臺幣 300 元

如何購買本書：
1. 劃撥購書，請透過以下郵政劃撥帳號：
帳號：15624015
戶名：萬卷樓圖書股份有限公司
2. 轉帳購書，請透過以下帳戶
合作金庫銀行　古亭分行
戶名：萬卷樓圖書股份有限公司
帳號：0877717092596
3. 網路購書，請透過萬卷樓網站
網址　WWW.WANJUAN.COM.TW
大量購書，請直接聯繫我們，將有專人為您服務。客服：(02)23216565　分機 10

國家圖書館出版品預行編目資料
一口氣讀完百部中國名著 / 李志敏編著. -- 初版. -- 桃園市：昌明文化出版；臺北市：萬卷樓發行, 2017.05　冊；　公分. -- (昌明文庫. 閱讀國學；A0602001)
ISBN 978-986-94911-3-6(上冊：平裝). --
1.推薦書目
012.4　　106008391